현자의 검

Sword of the Philosopher

3

Junki Hiyama

히야마 준키

일러스트

사라치 요미

"……야, 사라……. 머리에 날아차기는 아니지 않아?"

KB012925

『뒤랑달』은
아직 발동하고 있었다.
나는 계속해서
칠흑의 검을 날렸다.

"──루온 마딘!"

소피아가
뛰어들다시피 접근했다.

검신에 마력을 모아서―
『청류일섬』
결정타를 날렸다.

눈이 마주치자……
그녀는 얼어붙었다.

"오랜만이에요,
에이나 씨."

유노는 숨기는 시늉도
하지 않고 폭소했다.

"장엄한 하늘이여—
　나의 몸에 깃들어
　저자에게 심판과 안녕을—
　내리쳐라—
구원(久遠)의 뇌성!"

하얀 섬광이 흐드러지게 피어났다.

3

현자의 검

Sword of Philosopher

INTRODUCTION

미지의 전투

좋아하는 게임 세계로 전생한
루온.

그는 게임의 주인공이 당도했다는 정보를
얻습니다. 그녀는 아무래도 마족 토벌에
참여하려는 모양입니다.
그녀가 희생될지도 모르니 루온도 마물
토벌에 참여하기로 합니다.

그러나 이것은 루온의 게임 지식에 없는
미지의 전투.
게임 지식으로 파악한 배신자와 미지의
전투.
더욱이 전투가 한창인 그 안쪽에는 루온의
상상을 초월한 예기치 못한 힘도
존재합니다.

미왕 토벌의 열쇠를 쥔 리리샤와 배신자가
나타나 전투는 더욱 혼미해지고, 모략이
돌고 도는 대륙에서 루온은 자신이 가진
엄청난 힘으로 그에 맞섭니다.

Sword of
Philosopher

작가
히야마 준키

일러스트
사라치 요미

옮긴이
이은혜

현자의 검

Sword of Philosopher

CONTENTS

3

제 13 장	고향	013
제 14 장	배신자	061
제 15 장	기사와 마족	119
제 16 장	신령의 계획	223
제 17 장	백작의 비장의 수	265

일러스트 : 사라치 요미

제13장 고향

지금의 나의 고향은 어디일까.

나는 게임 『엘더즈 소드』의 세계로 전생해 루온 마딘이 되었지만, 지금은 전생 전의 인격인 『유이치』라는 의식이 강했다.

그래서 고향이라 하면 바로 전생의 집이 떠올랐다. 루온 마딘의 고향은 「기억에만 있는 낯선 마을」이라는 느낌이다. 모순되는 말이지만, 그렇게 표현하는 것 외에는 예시를 들 수가 없었다.

복잡한 심경 속에서 나는 고국 피스일리아에 발을 들였다. 동행인의 목적지에 가기 위해 들렀으니까 내 고향은 언급만 하지 않으면 지나칠 거라고 쉽게 생각했었는데─.

"아직 이르지만, 저 마을에 도착하면 쉬자."

여행 동행인, 리엘 나라티가 말했다. 무테안경과 진녹색 망토를 걸친 그가 멀리 어렴풋이 보이는 마을을 가리키며 이어서 말했다.

"저 마을은 일트리아야. 저기서 다음 마을까지 거리가 꽤 있으니까 일트리아에서 정비 좀 하자. 전에 몇 번 들러서 어디서 묵어야 하는지도 아니까 나한테 맡겨줘."

"음식 잘하는 가게 알아?"

내 동료인 천사 유노가 그에게 물었다. 손바닥만 한 유노가 우리 주위를 날며 대답을 기다렸다.

"응, 그것도 나한테 맡겨."

"좋아. 그리고 리엘 씨에 대해 말해줄 거지?"

못을 박듯이 말하자 그가 천천히 고개를 끄덕였다.

"응, 물론이야. ……그리고 나는 저기서 헤어질까 해."

시간을 되돌리는 무서운 마법을 쓸 수 있는 리엘은 마왕과의 전투를 여러 번 반복했다. 그러면서 얻은 정보는 무척 유익했다. 나도 리엘의 정보로 이 전투가 게임 시나리오대로 진행될지 어떻게 될지 확인할 수 있었다.

"왜?"

리엘의 의견에 유노가 고개를 갸웃거렸다.

"무슨 문제 있어?"

"일트리아에서 방향이 갈려. 나는 남쪽으로 가지만, 그쪽은 수행하러 가나이제로 가잖아? 그곳은 남동쪽으로 가야 하니까 저기서 헤어져야 일찍 도착해."

그가 내 옆으로 시선을 옮겼다.

"소피아 씨도 한시라도 빨리 강해지고 싶지?"

"……그렇죠."

소피아가 맑은 목소리로 대답했다. 본명은 소필리아, 발크스 왕국의 왕녀. 지난번 전투로 마왕을 무찌를 자격을 갖게 된 내 동료로, 은발을 나부끼며 걷는 모습은 가련했고 푸른 눈에는 뚜렷한 의지가 깃들었다.

다른 동행인으로는 소피아와 계약한 바람의 정령 실프의 왕 레핀과 땅의 정령 노움인 아크나가 있다. 현재 둘은 소피아의 몸속에 있어서 보이지 않았다.

　"하지만 리엘 씨 혼자서는 위험하지 않겠습니까?"

　"마족 레드라스와 싸운 이후로 결국 마족은 공격하지 않았어. 마족이 나를 알 텐데 이렇게 아무것도 하지 않은 걸 보니 내버려 두기로 했다고 생각해도 될 거야. 내 목적지까지 그리 멀지 않으니까 괜찮아."

　리엘이 쾌활하게 주장하자 소피아가 내 얼굴을 봤다.

　"어떻게 할까요?"

　"……음, 그러게."

　나는 건성으로 대답했다.

　"리엘 말대로 해도 되지 않을까?"

　"물론 일트리아에 도착하면 다 말할게. 마물을 시켜서 자료를 가져오겠어."

　리엘이 부드럽게 말하자 소피아가 제안했다.

　"루온 님은 피스일리아 왕국 출신이시죠? 고향으로 가서 이런 여행 중이라고 설명해야 하지 않을까요?"

　수련하던 시절, 우연히 만났을 때 내 출신국 이야기를 했던지라 입국한 이후로 계속 말이 나왔다. 리엘과 유노가 소피아의 말에 동의하는지 고개를 끄덕였다.

　나는 대답하지 않고 머리를 긁적였다. 내 태도에 리엘이 미간을 찌푸렸다.

"왜 그래? 루온 씨."

"상태가 이상한데?"

눈치 빠른 유노의 말에 소피아가 이상하다는 표정을 지었다.

"루온 님? 신경 쓰이는 점이라도 있으십니까?"

"아, 아니……."

여기까지 오는 동안, 계속 안 좋은 예감이 들었다.

한 걸음 한 걸음 내디딜 때마다 풍경이 익숙해지니 초조해졌다. 내게는 낯설기도 하고 무척 그립기도 한 풍경이었다.

마을 주변은 초원지대로 농경지가 있고 농부가 일하는 모습이 보였다. 눈앞에 있는 마을은 제법 규모가 있어서 마차가 왕래했다.

"루온 님?"

소피아가 다시 이름을 불렀을 때, 덜그럭덜그럭 소리를 내며 우리 옆을 지나가던 한 마차가 멈췄다.

"……루온?! 루온 아니냐?!"

익숙한 목소리이지만…… 기억에만 있는지라 몹시 복잡한 기분이 들었다. 마차 쪽으로 고개를 돌리니 수염 난 40대 중반 남성이 있었다. 이름이…… 루온의 기억에 있었다.

"……오랜만이에요. 마드 씨."

"뭐야, 오기 전에 편지 한 통이라도 보내지 그랬어."

"아, 그게……."

"그런데 무슨 바람이 불었대? 돈이 없어서 돌아왔어?"

"그런 거 아니에요."

내가 쓴웃음을 짓자 남자가 쾌활하게 웃었다.

"됐다. 네가 떠나서 걱정한 사람도 있으니까. 돌아왔으면 마을 사람들한테 꼭 얼굴 비추라고!"

그가 고삐를 당겨 다시 마차를 달렸다.

나는 그 모습을 지켜보며 침묵했다.

"……저기, 설마."

나와 마을을 번갈아 보던 소피아가 입을 열었다.

"응, 맞아."

나는 포기하는 심경으로 마을을 가리켰다.

"……내 고향이야."

모두의 눈이 휘둥그레졌다.

고향이지만, 처음 들른 마을처럼 느껴지기도 했다. ……전생해서 이 세계에 온 폐해였다.

나는 마을 입구에 멈춰 섰다. 머릿속에 가출이나 다름없이 여행을 떠난 기억이 떠올랐다. 남 일 같아서 내가 했다는 자각이 없었다. 없지만, 등에 식은땀이 흘렀다.

"괜찮아?"

리엘이 우두커니 있는 내게 물었다.

"혹시나 해서 하는 말인데, 여기까지 와서 돌아갈 생각은 없어."

"응, 알아."

"루온 님."

깍듯한 목소리에 시선을 돌리니 자세를 가다듬은 소피아가 보였다. 이제부터 왕이라도 알현할 것 같은 표정이었다.

"자택은 어디 있습니까?"

"⋯⋯부모님한테 인사라도 하려고?"

"네, 물론입니다."

당연하다는 투였다. 내게 신세 지고 있는데 고향에 왔으니 제대로 인사하고 싶은 모양이었다.

하지만 나는 본가에 가고 싶지 않았다.

"루온, 얼굴에 가고 싶지 않다고 쓰여 있어."

유노가 지적하고 웃겨 죽겠다는 듯이 활짝 웃었다.

"이 기회에 결판내면 되잖아."

"가족과 불화가 있으면 이참에 해결해봐."

리엘이 이어서 말했다. 확실히, 마족과 싸우다 보면 언제 죽을지 몰랐다. 이런 사정을 가족에게 알리는 것은 아주 당연한 일이었다.

단지 내 머릿속의 기억이 귀가를 방해했다. 하지만 이대로 입구에 계속 서 있을 수는 없는 노릇이라 입을 열었다.

"⋯⋯일단, 숙소부터 잡을까?"

"아니, 아니지. 본가가 있으니까 돌아가면 되잖아."

유노의 의견에 나는 입을 다물어야 했다.

"세 명이 묵기는 어려워?"

"아니⋯⋯ 될 거 같기는 한데⋯⋯."

그때, 문득 깨달았다.

"잠깐만, 우리 집에서 묵으려고?!"

"응? 여관에서 묵는 것보다는 그게 낫잖아? 민폐라면 다시 숙소를 잡으면 돼. 하지만 루온은 본가에서 쉬면서 이야기를 나누면 되잖아."

음, 그렇긴 한데…… 굉장히 망설여졌다.

입구까지 오는 길에, 익숙한 풍경이 보이기 시작하면서부터 발걸음이 조금씩 무거워졌다. 마침내 마을 입구에 도착해서 꼼짝도 못 하게 되어서야 내 안에 있는 루온의 기억이 이 마을을 거부한다고 단정할 수 있었다.

하지만, 뭐, 이제부터 전투가 거칠어질 테니…… 확실하게 말해야겠지.

"……응, 그럼 가자."

"기운 좀 내."

유노의 말에 나는 쓴웃음을 지으며 마을로 들어갔다. 그러자 호객하는 가게 주인이 말을 걸었다.

"루온, 마드 씨한테 들었다. 잘 돌아왔어."

……다 소문났다. 아까 그 사람을 통해 루온이 돌아왔다는 소식이 퍼졌다고 생각해야 맞겠군.

갑작스러운 귀환에도 마을 사람들은 따뜻하게 맞이해줬다. 조금씩 움직일 때마다 불러 세우기에 쓴웃음을 지으며 인사했다.

"얼굴이 꽤 알려져 있네."

리엘의 지적에 나는 뺨을 긁적였다.

"나는, 그…… 나름 눈에 띄는 애였으니까."

"눈에 띄는 애?"

"귀족이었던 과거에, 억지로 마법사의 제자로 들어간 데다 기사한테 검술을 배웠어. 마을 사람들의 눈에는 검과 마법을 배우는 영리한 아이로 비쳤는지…… 비교적 입소문이 난 모양이야."

"그런 노력이 지금의 힘으로 이어진 것이로군요."

소피아가 상냥하게 말했다. 나는 「그런가?」 하고 작게 중얼거렸다.

솔직히, 글쎄? 개인적으로는 전생한 요인이 크다는 생각이 들었다. 과거의 루온은 무작정 힘을 원한 인간이었던지라 비길 데 없는 힘을 손에 넣은 나한테는 잘된 일인데…… 뭐, 어릴 적부터 쌓아온 기술도 강해진 요소 중 하나겠지?

우리는 인사하며 앞으로 나아갔다. 그러나 그중에는 잔소리하는 사람도 있었다.

"민폐 끼쳐놓고 잘도 돌아왔구만."

노점을 운영하는 아주머니의 말에 나는 쓴웃음을 지을 수밖에 없었다.

그 때―.

"이 사람들은 동료냐?"

"처음 뵙겠습니다. 루온 님의 종자인 소피아 라톨입니다."

소피아가 입을 열자 아주머니가 눈을 동그랗게 뜨고 놀라서 말을 잇지 못했다.

이어서 그녀가 종자가 된 경위를 간단하게 설명했다.

"그랬구나……. 너도 사람 노릇 하게 됐구만."

아주머니가 감동했다. 다른 사람들의 반응도 비슷했다. 과거의 루온이 어떻게 여겨졌는지 알 수 있는 에피소드였다.

마을 사람들을 만나며 집으로 가던 중, 유노가 내게 물었다.

"루온, 옛날에 무슨 짓 했어?"

"짐작 가는 거로는…… 힘을 키우는 데 매진하는 걸 우선해서 차가운 인간으로 여겨졌을지도 모르겠어. 그래서 소피아를 도와준 게 의외이지 않았을까?"

"자기만 생각하는 사람으로 여겨진 거 아니야?"

유노의 추측에 나는 그럴 것이라고 고개를 끄덕였다.

내 본가는 마을 중심부 근처에 있었다. ……가까이 갈수록 발걸음이 무거워졌다. 루온의 인격아, 가고 싶지 않은 건 알지만, 이제 그만 각오를 다지자.

무거운 발을 겨우 놀리다가…… 문득 오른쪽에 나무가 우거진 공원이 보였다. 공원이 보인다는 것은 본가가 코앞이라는 뜻이었다.

어릴 적에 이런 데서 놀았을까, 루온의 기억을 뒤져봤다. 그러나 떠오르는 것은 마법과 검술을 배우는 광경뿐……. 내 일이지만, 금욕적이라는 생각이 들었다.

또래 아이들도 별난 애 취급한 모양이군. 그만큼 예전 생활로 돌아가고 싶어서 필사적이었나……. 그나마 대화를 나눴던 사람은 같은 스승님께 검술을 배우고 집이 가까웠던—

"이제 곧 도착인가요?"

소피아의 말에 생각이 끊겼다. 안절부절못하는 모습을 보고 왜 저러는지 의문이 들었을 때, 공원 쪽에서 탁탁탁 경쾌한 발소리가 들렸다.

어? 라고 머릿속으로 중얼거린 직후, 갑자기 탁! 지면을 박차는 소리가 났다. 노골적으로 나를 향하는 게 느껴졌고—.

다음 순간, 머리에 충격이 내달렸다.

"뭐야?!"

"루온 님?!"

리엘과 소피아의 목소리를 들으며 나는 충격을 받고 바닥에 쓰러졌다.

……무슨 일 일어났는지는 이해했다. 아까 들은 소리를 생각하면 날아차기를 당한 것이리라. 늘 마력 장벽을 펼쳐둔 덕에 피해는 입지 않았지만, 공격당한 충격은 막을 길이 없어서 이렇게 쓰러졌다.

이런 짓을 할 사람은…… 루온의 기억 속에 한 사람뿐이었다.

"……야, 사라."

나는 이름을 부르며 천천히 일어났다.

"많은 일이 있었다는 건 인정할게. 한 대 맞을 각오도 했어. ……그런데 아무리 그래도 머리에 날아차기는 아니지 않아?"

"너니까 한 거지. 어차피 괜찮잖아."

밉살스럽게 말하는 여자…… 팔짱을 끼고 이쪽을 보는 검은 눈동자에 어이없다는 감정이 섞여 있었다.

제일 먼저 복장이 눈에 들어왔다. 가벼운 분홍색 상의에 긴 바지를 입었다. 루온이 기억하는 옷으로 피스일리아 왕국 병사에게 지급하는 제복이었다. 이로써 그녀가 마을 경비병이라는 것을 알 수 있었다.

머리카락은 아마색. 세 갈래로 땋아 하나로 묶었다. 외모는 미인이라 불릴 만했으나 소피아처럼 기품 있지는 않고 좋은 의미로 시골티가 났다. 그리고 루온의 기억과 비교해 어른스러웠다.

그녀의 이름은 사라 데이스. 루온의 소꿉친구다. 루온의 집안이 몰락하고 이 마을로 이주하면서 알게 됐고, 같은 스승님에게 검술을 배웠다.

"마드 씨한테 듣고 일단 한 대 걷어차 주려고 했지!"

사라가 기세등등하게 말했다. 마력 장벽을 상시 쓰라던 스승님의 말씀을 알기에 나를 찬 것이었다.

"……예상했으니까 반격할 생각 없어."

"이런 짓을 당할 줄은 알았구나?"

"그건 뭐, 그렇지."

다만, 가출은 내가 한 게 아니라는 의식이 있어서 마음 한구석에 불합리하다고 불만을 품었다.

"루온, 왜 갑자기 돌아왔어?"

"여행하다가 지나가는 길이야."

"아, 그래."

내 옆에 있는 동료들을 힐끗 보고— 유노는 정령이라고 생각했는지 싱겁게 넘어갔다.

"처음 뵙겠습니다. 루온 님의 종자인 소피아 라톨입니다."

그러다가 소피아와 눈이 마주치고, 그녀의 정중하게 예를 갖춘 자기소개에 사라는 침묵했다.

"……사라?"

말을 걸자 그녀가 갑자기 내 어깨를 잡고 대화가 들리지 않게 동료들에게서 등을 돌렸다.

"잠깐, 저 사람 누구야?"

"누구냐니……?"

"어디서 끌고 왔어? 마왕이 나타났다고 못된 짓이라도 한 거야?"

"말이 심하네……. 내가 그렇게 못 미더워?"

"당연하지."

사라가 딱 잘라 대답했다.

"마족과 무슨 거래를 한 거야?"

"……이건 짚고 넘어가자. 난 가출만 했지? 범죄로 손을 더럽히고 그러지는 않았지?"

내가 되묻자 사라가 의심하는 눈길을 보내다가…… 이내 물러났다.

"흥, 됐어. 본가에 가려고?"

"응. 근데…… 문지방을 넘을 수 있을까?"

"나한테 묻지 마. 나름대로 각오는 해둬."

사라가 나를 놓고 걸음을 뗐다.

"일이 있어서 일단은 여기까지만 할게. 볼일이 끝나면 꼬치꼬치 물어볼 거니까 마음의 준비해둬."

그녀는 터벅터벅 규칙적인 발소리와 함께 자리를 떠났다.

"……폭풍 같네."

리엘이 감상을 말했다.

"정신을 추슬러…… 루온 씨."

"아, 응."

다시 걸음을 옮기자 얼마 지나지 않아 본가가 보였다. 주변 건물에 녹아든 일반적인 집이었다.

"이곳입니까?"

소피아가 안절부절못했다.

"부모님은 일 때문에 없을지도 몰라. 노크해보고 반응을 기다리자."

똑똑 문을 두드렸다. 안 돼, 두근거리기 시작했어.

이럴 때는 어떻게 해야 하지? 머릿속으로 첫 말을 생각하는 사이, 발소리가 들렸다. 온몸으로 긴장이 퍼지고 문이 열렸다.

"여, 안녕."

여자인데— 어머니는 아니었다.

구불거리는 금발 쇼트커트에 검은 눈. 드레스도 어울릴 것 같은데 간소한 검은 옷을 입었다. 허리에는 장검을 찼다. 얼굴에는 대담한 미소. 여장부라는 말이 매우 잘 어울리는, 호기로운 인상을 주는 사람이었다.

"……어?"

눈이 휘둥그레졌다. 이 사람은—.

기억에서 끄집어낸 순간, 내 눈앞에 구두 뒤축이 날아왔다.

"윽?!"

그리고 걷어차였다. 사라 때처럼 충격에 몸이 밀려 바닥에 쓰러졌다.

"루온 님?!"

"또 차였네."

소피아는 소리를 지르고 유노는 어이가 없어 했다. 나는 상체를 일으키고 옷에 묻은 흙먼지를 털며 물었다.

"왜, 왜 여기에……?"

"일 때문에 이 나라를 들른 김에 마을에도 와봤다. 네가 돌아왔다기에 일부러 부모님께 허락받고 기다리고 있었지."

그녀는 양손을 허리에 대고 하하핫 하고 호쾌하게 웃었다.

"사라를 보러 왔는데 설마 너를 만날 줄은 몰랐다."

"……아는 분이세요?"

소피아의 물음에 나는 고개를 끄덕였다.

"내 검술…… 스승님이야."

정확하게 말하면 둘 중 한 명이다. 이름은 일레이 마크루디. 격투장이 있는 마을 가나이제에서 검술을 지도하는 인물로, 마을에서 인정받는 걸물이었다.

루온이 스승으로 모시게 된 계기는 그녀가 우연히 마을에 왔을 때, 검술을 보고 반해서 필사적으로 사사를 부탁했기 때문이었다. 그 뒤로 그녀는 이 마을에 올 때마다 검을 가르쳐줬다.

"동료?"

일레이가 동료들에게 물었다. 제일 먼저 유노가 대답했다.

"네~ 그렇습니다~."

"……정령인 줄 알았는데 날개를 보니 천사인가?"

"정답. 나는 유노."

"저는 동행인 리엘 나라티입니다."

이번에는 소피아가 자세를 바르게 했다.

"처음 뵙겠습니다. 루온 님의 종자인 소피아 라롤이라고 합니다."

그리고 잠시 침묵. 일레이는 소피아를 응시하고 움직이지 않았다.

"……일레이 씨?"

내가 일어나며 입을 연 순간, 그녀가 천천히 내게 다가와 외투 위로 멱살을 잡았다.

"야, 이 사람은 뭐냐?"

"네?"

왜 다들 나를 의심하는 눈으로 보는 거야?

"어디서 저런 미인을 종자로 삼았어?"

"사라도 그러던데 제가 그렇게 의심받을 짓을 했나요? 안 그랬죠?"

내 주장에 일레이가 입을 다물었다.

"……흠, 듣고 보니 그렇군."

"저를 대역죄인 취급하는 거 그만해주세요."

일레이가 소피아를 힐끗 봤다.

"네가 어떻게 지냈는지는 말해주겠지?"

"그거야 물론이죠."

그러자 그녀가 물러났다. 나는 다시 옷에 묻은 흙먼지를 털었다.

"아……."

그때, 어느새 길에 서 있는 중년 남녀가 시야에 들어왔다. 그들을 보고 잠시 침묵했다.

그들도 입을 열지 않았다. 소피아와 일레이도 말이 없자 정적이 깔렸다.

루온의 기억이 되살아났다. 나는 눈앞의 두 사람을 보고…… 아주 약간 저항감을 느꼈다.

"……다녀왔습니다. 아버지, 어머니."

하지만 그 말은 나도 느낄 정도로 자연스러웠다.

꿇어앉아 설교 들을 각오를 했지만, 결과적으로는 설교의 설도 나오지 않았다.

"루온 님의 종자인 소피아 라톨입니다."

이유는 소피아 때문이었다. 부모님의 마음이 풀어질 정도로 예의바르게 대하고, 내가 그녀의 목숨을 구해줬으며, 지금은 강해지기 위해 종자로 함께 여행 중이라는 사정을 공손하게 말하자 일레이와 부모님도 이해한 모양이었다.

나는 소피아에게 감사하지 않을 수가 없었다.

"뭐, 그나저나 너도 많이 둥그레졌구나."

집 안 거실 — 그렇게 넓지는 않지만 — 에 있는 4인용 테이블에 둘러앉아 내 앞에 있는 일레이가 입을 열었다. 참고로 어머니는 요리 준비를 시작했고 아버지는 2층으로 올라갔다. 부모님은 「네가 남에게 도움 되는 일을 하고 있다면 그걸로 됐다」고 하셨다.

그리고 모두 여기서 묵고 가라 해서…… 리엘은 사양했지만, 거의 유노가 말한 대로 됐다.

"소피아 씨에게 감사해라, 루온. 소피아 씨가 없으면 집에서 쫓겨났을 테니까."

"네……. 소피아, 고마워."

"아뇨, 저는 아무것도 하지 않았습니다."

옆에 앉은 소피아가 쑥스러운 표정으로 손을 내저었다. 그러자 일레이가 「정말 착한 애네」라고 감탄했다.

"자, 루온의 부모님은 용서하려는 모양이고…… 내 인맥으로 길드 등록을 하지를 않나, 나는 하고 싶은 말이 산더미 같지만 그만두도록 하지."

……언젠가 여러 가지 일로 벼락이 떨어질 듯했다. 괜히 찌르면 데이니까 이야기를 돌리자.

"다시 여쭙겠는데요, 일레이 씨, 왜 여기 계세요?"

"아까도 말했다만, 일 때문에 왔다. 지금은 돌아가는 길이고."

그녀가 쓴웃음을 지었다.

"사실은 여기 오기 전에 관리가 붙잡았는데…… 망설인 끝에 미안하지만 정중히 거절하고 왔다."

"붙잡았다고요? 왜요?"

일레이는 제법 이름 있는 검사라 관리가 일을 부탁하는 게 하루 이틀이 아니었다. 이번에도 그랬나 보다.

"조만간 대규모 마물 토벌이 있을 거다. 수도에서 조금 남쪽에 있는 산이지."

마물 토벌…… 나는 자연스럽게 리엘을 봤다. 그가 고개를 끄덕였다. 아무래도 이것이 함께 여행을 시작할 때 말한 귀찮은 일인 모양이다.

"참여해주지 않겠냐고 타진해왔어. 용병을 포함해, 다양한 사람들을 부른 모양이더구나."

"거절하셨다면 이제 곧 돌아가세요?"

"그렇지."

일레이가 어깨를 으쓱했다. 그렇다면…….

"……돌아가시는 길에 죄송하지만, 부탁드릴 게 있습니다."

"부탁? 수행을 도와달라고?"

"네. 동행한 리엘과 헤어진 뒤에 일레이 씨께 가려고 했거든요."

"호오, 그래. 어떤 수행을 하려고?"

"아뇨, 제가 아니라—."

나는 옆에 앉은 소피아를 손으로 가리켰다.

"소피아를 지도해주세요."

"……흠."

시선이 쏠렸다. 소피아는 무릎에 두 손을 올리고 바른 자세로 기다렸다.

"들은 바로 추측해보면 어딘가의 귀족 아가씨지? 강해져서 어쩌려고?"

"마족에게, 맞서기 위해서입니다."

그것뿐…… 자세히는 말하지 않았다. 지금은 리엘에게도 말하지 않은 상태. 이걸 기회로 말하는 것도 괜찮으려나?

두 사람은 잠시 시선을 나눴고…… 이윽고 일레이가 미소 지었다.

"어깨에 힘이 너무 들어갔군. ……좋아. 다름 아닌 제자의 부탁이니 어울려주지."

"감사합니다."

"그동안 너는 어쩔 거냐?"

원래대로라면 일레이를 찾아간 뒤 동료를 찾을 생각이었다. 소피아의 상황을 이야기할 수 있는 사람이라는 어려운 조건이지만, 일레이가 사는 가나이제라면 찾을 수 있을 거라 생각했다.

하지만 이 마을에서 소피아를 부탁하게 되었으니 동료 찾기는 어려워졌다. 그렇다면 할 일은 하나―.

"마물 토벌이 신경 쓰여서 가보려고요."

"괜찮겠어?"

일레이가 눈썹을 찌푸리며 물었다. ……지금 내 실력이 어느 정도인지 모르니 어쩔 수 없는 반응이었다.

"죽을 생각은 없으니까 위험하면 도망칠게요."

"그것도 좀…… 뭐, 믿어보지."

"저기, 루온 님."

그때, 소피아가 손을 들었다.

"가능하면 저도 동행하고 싶습니다만……."

마땅한 주장이었다. 하지만 그럴 수 없는 이유가 있었다.

내가 대륙 각지에 푼 사역마…… 주인공들을 관찰하는 사역마의 정보로 한 주인공이 이 나라에 온 것을 알게 됐다. 이유는, 일레이가 말한 마물 토벌임이 분명했다.

그래서 같이 가기는 어려웠다.

"……검술 지도는 맡아주마."

이번에는 일레이가 입을 열었다.

"여기서 해도 되고 가나이제로 돌아가서 해도 돼. 어떻게 할지는 이야기를 나눠봐. 나는 피테 씨의 여관에 있을 테니 무슨 일 있으면 연락하고."

그녀가 천천히 일어났다.

"마물 토벌까지 시간이 별로 없다. 빨리 결정해."

일레이는 그 말만을 남기고 집을 떠났다.

"나는 자료를 가져올게."

이어서 리엘이 말을 꺼냈다.

"마물이 마을에 도착했어. 자료를 근거로 말할게."

그도 자리에서 일어나 집을 나갔다. 남은 것은 나와 소피아와 유노뿐. 어머니는 주방에 있으니 무슨 말을 해도 들을 사람이 없었다.

"……소피아."

"네."

"내가 나름대로 정보를 모아봤는데…… 이 나라에 『새벽의 자유기사단』이 온 걸 알게 됐어."

게임에서 그렇게 불렸고, 현실에서도 명칭이 같았다. 소피아는 당연히 못 들어봤는지 고개를 갸웃거렸다.

"새벽의…… 자유기사단?"

"국가 탈환을 위해 망국의 기사들이 모여서 결성한 기사단이야. 어느 나라에 소속되지 않고 마족, 마물과 싸우는 사람들…… 새벽은 국가 해방의 비유인가?"

"그 기사단이, 왜요?"

"아마 일레이 씨가 말한 마물 토벌에 참여할 것 같은데— 그들 중에 에이나가 있어."

소피아가 입을 다물었다. 그렇다. 그녀의 사촌인 에이나는 자유기사단의 일원으로 발크스 왕국을 탈환하기 위해 활동 중이었다.

"그밖에도 자유기사단에 합류한 발크스 왕국의 기사가 있는 것 같아. ……그들과 만날지, 어떡할지 이야기 좀 해보자."

……지금 상황에는, 나쁘지 않았다. 레드라스와 싸우기 전에는 만나지 않아야 한다고 주장했지만, 지금은 달랐다.

5대 마족 중 하나를 무찔러서 그 녀석에게 깃든 현자의 힘을 소피아가 가졌다. 마왕이 쓰는 대륙 붕괴 마법 『라스트 어비스』를 막으려면 5대 마족에게 깃든 현자의 힘을 한 사람에게 모아야 하는데…… 소피아라면 내가 어떻게 움직일지 제어할 수 있고, 방법은 얼마든지 있었다.

하지만 다른 주인공들의 동향이 걱정이었다. 그들이 의도치 않게 5대 마족과의 전투에 관여해 소피아가 없는 곳에서 현자의 힘을 가지게 되면 곤란한데, 아예 발상을 새롭게 해서 그들과 적극적으로 엮어서 사정을 설명하고 행동을 제어하는 것도 한 가지 방법이었다.

5대 마족의 동향을 장악할 수 없으니 잘 생각해서 처신해야 하는데……. 아무튼 소피아가 현자의 힘을 가졌으니 에이나를 끌어들이는 것도 하나의 선택지로 떠올랐다.

동료 찾기 목적으로도 좋았다. 새벽의 자유기사단과 엮이면 에이나와 함께 행동할 수 있을 것이다. 에이나라면 절대적으로 믿을 수 있으니 최적의 동료였다.

"그렇군요, 무슨 말인지 알겠습니다."

소피아가 진지한 표정으로 말했다.

"장점이 있는 것은 분명합니다. 하지만 걱정도 있습니다. 여러 나라의 기사가 모인 기사단이라면 제각각의 생각이 있을 겁니다."

"그렇지."

"에이나에게만 제 일을 알리는 건 괜찮을지도 모른다고 생각했습니다만…… 그들과 접촉한다면 어떻게 될지 모릅니다.

그리고 만약 기사단에 마족과 내통하는 자가 있으면…… 불성실한 생각일 수도 있습니다만, 가능한 이야기입니다."

"확실히 그래."

나는 무거운 표정을 짓고 고개를 끄덕였다.

"그리고 어디서 사정이 흘러나가 우리 여행에 지장이 생길 가능성도 부정할 수 없습니다. 최악의 경우, 아버님이 숨어계신 곳에도 영향이 있을지도…… 아직 인간 쪽이 한참 열세이고, 저를 알리면 안 된다고 생각합니다."

"……알겠어. 소피아의 의견에 따를게. 그럼 에이나가 있으니까 소피아는 마을에 머물며 수행해줘. 일레이 씨의 지도는 내가 보장할게."

"네. ……아, 그리고—."

"응?"

"마법은, 어떡하실 겁니까?"

"……이 마을에 내 스승님이 계시지만, 소피아는 이미 지식도 갖췄으니 참고가 별로 안 될 거야. 그 사람은 옛 궁정 마술사라 전방에서 검을 휘두르는 소피아의 전법에 안 맞을 테고."

나는 어릴 적부터 검과 마법을 같이 배워서 조합해서 쓰지만 말이지.

"저는, 주문을 외우지 않고 마법을 쓰거나 효율을 더 높이고 싶습니다만."

마법은 기본적으로 주문을 외워서 몸 안쪽에 있는 마력을 끌어올려서 사용한다. 다만, 꼭 주문을 외워야 하는 것은 아니다. 주문을 외우지 않고 마력을 끌어올려서 쓰는 마법……. 마치 기술처럼 사용하는 마법을 무영창 마법이라고 부르며 구별한다. 참고로 게임에서는 영창시간을 단축하는 식이었다.

단점은 마법 위력이 떨어진다는 것. 예를 들어 독에 걸리는 부가 효과도 떨어졌다. 게임에서는 일정한 배율로 대미지만 떨어졌지만, 현실이 된 지금은 방법을 궁리하지 않으면 써먹을 게 못 됐다.

"하루아침에는 어려워. 이것저것 하고 싶은 마음은 알지만…… 뭐, 말 정도는 해봐도 되겠지? 나중에 스승님께 말씀드려 볼게."

"부탁드립니다."

"응. ……유노, 넌 어떡할래?"

"응? 당연히 루온을 따라가지."

그럴 줄 알았던지라 나는 전혀 놀라지 않았다.

"그럼 루온 님, 부탁이 하나 있습니다."

소피아가 나를 똑바로 바라보며 요구했다.

"에이나가 어떤지 보고 와주시겠습니까?"

"물론 그럴게. 때에 따라서는 지원도 할게."

"감사합니다. 잘 부탁드립니다."

나는 당연하다는 듯이 승낙했고…… 이번에는 내가 물었다.

"리엘 씨한테 아무 말도 안 했는데, 어떡할까?"

레드라스를 무찌른 직후에는 무슨 일이 일어날지 몰라서 말을 삼갔는데…….

"문제는 리엘 씨를 보호하는 분이로군요. 그 사람이 정말 믿을 수 있는 사람인지…… 그게 문제입니다."

그걸 모르니 소피아도 망설여지나 보다. 지나치게 경계하는 것 같지만…… 왕의 목숨이 걸린 일이기도 했다. 돌다리도 두드려 보는 게 당연한가.

"알았어. 일단은 입 다물고 있자. 그리고 토벌에 리엘이 참여하면…… 에이나와 접촉하게 돼. 생김새 때문에 수상하게 여기지 않을까?"

"에이나와 제 분위기가 변했을 테니 괜찮겠죠."

"그래……. 남은 건 소피아의 이름이 나오지 않게 하는 정도인가?"

"에이나가 공식적인 자리에서 저를 애칭인 소피아라고 부른 적은 없으니 루온 님이 언급하지 않으면 괜찮을 겁니다. 루온 님이 저를 구했다고 생각할 리도 없을 테고…… 물론 만약을 위해 부탁드려요."

내 행동에 달렸나. 뭐, 들켜도 에이나와 리엘만 알고 있게 하면 어떻게든 된다. 비관적으로 생각할 필요는 없었다.

머릿속으로 결론을 정리했을 때, 리엘이 돌아왔다.

"자료를 가져왔어."

그의 손에는 종이 다발이 들려있었다. 그가 아까와 같은 자리에 앉았다.

"지금부터 설명해도 되지?"

"응, 부탁해. 소피아도 괜찮아?"

"괜찮습니다."

리엘이 작게 고개를 끄덕이고 「그럼」 하며 운을 떼고 이야기하기 시작했다.

전쟁 경과는 대부분 게임과 같이 전개됐다. 우선 5대 마족이 어떤 계기로 움직이는지에 대해 설명했다. 다만, 레드라스 외의 5대 마족과는 깊이 엮이지 않았는지 이벤트 중 그들의 자세한 동향은 알지 못했다.

다른 5대 마족 중 셋은 전쟁으로 발전할 만한 게 없으니 어쩔 수 없지만, 다른 하나는 인간 쪽이 먼저 움직였다. 이에 관한 정보 정도는 있을 법한데…….

"리엘, 성을 가진 마족이 일으킨 큰 전투는 없었어?"

"있었어. 하나가 대규모야. 여러 나라가 연계해서 움직였는데 증인이 없더라고. 참전하면 좋았을 텐데 다른 소동에 관여하느라 못했어."

"즉, 그만큼 피해가 컸다는 거지?"

"그래. 마족은 무찌른 모양이지만, 인적 피해가 컸대."

피해가 크다니 반드시 참전해야 했다.

그리고 리엘은 그가 마주한 인간의 네 번째 패배는 어떠했는지 설명했다.

"현재 마족은 북쪽에서 공격하고 있지만, 거점을 가진 마족 중 넷이 죽으면 남쪽에서 대군이 밀어닥쳐. 내가 체험한 네 번의 전쟁 모두 이 남부 침공으로 패배했어."

"그렇게 규모가 크다니……."

입가에 손을 댄 소피아의 표정이 심각해졌다.

"그 시점에 인간 쪽으로 형세가 기울어져 있었던 거죠?"

"천천히 만회했어. 하지만 그 침공으로 역전당해. 마왕이 세운 기사회생의 계획이라고 해야 하나?"

리엘이 한숨을 내쉬었다.

"인간 쪽은 여유가 없었어. 전력이 아슬아슬한데 대량의 마물이⋯⋯. 나는 거기에 맞서기 위해 조금이라도 병력을 남겨야겠다고 생각해서 레드라스와의 전투에 개입한 거야."

"그랬군요⋯⋯."

"리엘, 몇 가지만 물어볼게."

나는 게임 상황을 떠올리며 물었다.

"우선, 네 번의 전쟁 동안⋯⋯ 거점을 가진 마족의 움직임은 전혀 바뀌지 않았지?"

"응. 반드시 같은 계기로 움직였어."

"그래⋯⋯. 그럼 남부 침공 때, 인간 쪽 상황에는 차이가 있었어?"

"전력 차이는 있지만, 기본적인 부분은 같았어."

"그랬구나. 이 정보가 새지 않으면 좋건 나쁘건 저번과 똑같아진다는 거로군."

리엘이 고개를 끄덕였다. 그렇다면 이제 확인할 것은⋯⋯.

"침공 때, 인간 쪽도 총력전을 펼쳤지?"

"응."

"그럼 당연히 연합군이 만들어졌을 거야. ⋯⋯맹주는 있었어?"

"있었어. ⋯⋯맹주는 전부 같더군. 마왕과 싸우며 크게 성장해서 각국이 맹주에 적합하다고 인정한 인물…… 소국 아라스틴 왕국의, 왕이야."

소피아의 눈이 휘둥그레졌다.

"아라스틴 왕국의…… 하지만 마족 침공 때, 왕은……."

죽었다. 그렇다. 발크스 왕국 습격과 같은 타이밍에 붕어했다. 참고로 병사다.

"아들이 있어. 올해로 열다섯 살이야."

"……카난 왕자가?"

소피아가 이름을 말하자 리엘이 고개를 끄덕였다.

"맞아. ……자, 이제 거의 다 말했는데, 하나만 더 보충할게."

리엘이 운을 떼고 머리를 긁적이며 말을 이었다.

"동료 캐룬이랑 루온 씨 일행과 동행했던 길버트 씨 말인데…… 그들이 마왕과 싸울 때 몸을 던진 케이스가 있었어."

"그 두 사람이요?"

"꼭 그런 건 아니야. 나는 두 사람이 또 싸울지도 모르니까 조금이나마 마법을 부여하는 식으로 협력했어."

시간을 되돌린 경험으로 두 사람과 접촉했구나. 길버트에게 하급 마법을 쓸 수 있는 아이템을 준 것도 그런 이유에서였구나.

"뭐, 이번의 두 사람이 어떻게 할지는 모르지만."

"그래. ……다시 만났을 때, 알트가 두 사람을 대동하고 있을지도 모르겠네."

레드라스전은 함께하지 않았지만, 알트에게 전쟁에 대해 물으면 생각하는 바가 있을 테고.

"또 묻고 싶은 건…… 빛을 품은 사람에 관해서야. 어떻게 그 힘으로 마왕에게 맞설 수 있다고 알게 됐어?"

"남부 침공 때 마왕이 직접 군을 이끌고 공격해. 총력전에 패배한 인간 쪽은 복수하려고 결사의 반격을 하지. ……그러던 중에 거점을 가진 마족에게서 빛을 얻은 인물이 마왕의 힘에 맞섰다는 정보를 얻었어. 나도 직접 본 건 아니지만, 네 번의 전쟁마다 그런 정보를 입수해서 나는 그게 마왕을 토벌할 자격이 아닐까, 라는 결론을 내렸어."

"그 인물만이 마왕을 무찌를 수 있다고 말입니까?"

소피아의 물음에 리엘이 어깨를 으쓱했다.

"적어도 마왕에게 어정쩡한 마법과 기술은 통하지 않는 듯했어. 나는 빛이 지닌 힘이 마왕의 마력 장벽을 돌파하는 데 힘을 빌려주는 게 아닐까 싶어."

그의 추론은 거의 정답이었다. 소피아는 현자의 힘이 마왕을 무찌를 힘이 된다고 깨달았으리라.

음, 리엘이 정보를 얻은 경위는 알았다.

"리엘, 스텔라는 어떤 경위로 알게 됐어?"

"시간을 되돌릴 때, 마족의 동향 외의 변화가 있는지 검증하던 지난번 과거에서 만났어. 다만, 오빠인 알트 씨는 이번에 처음 만났어. 같은 사건이어도 무언가의 영향으로 차이가 생기는 것 같아. 그 차이로 본질이 바뀌지는 않는 모양이지만."

기본적으로 마왕과 마족의 동향 외에도 게임과 상황이 같은 듯했다. 차이가 어디서 생기는지는 모르지만…… 뭐, 리엘이 시간을 반복하면서도 전부 똑같이 행동하지는 않았을 것이다. 나와 소피아 일도 있고, 완전히 일치하지는 못하리라.

여하튼 리엘의 증언에 의하면 괜히 눈에 띄지만 않으면 마왕전이 게임과 비교해 극적으로 변하지는 않을 듯했다. 시나리오대로 진행하면 내 지식이 도움이 될 테니까 앞으로도 그렇게 흘러가길 바랐다.

"루온 씨, 다른 질문은?"

"이제 없어. 고마워."

"좋아, 다음은 피스일리아 왕국에서 하는 마물 토벌에 관해서야."

"그러고 보니 리엘을 보호하는 사람은 참전하지 않아?"

"다른 일이 있는 모양이야. 토벌은 나도 직접 본 것도 아니고, 정보를 거의 얻지 못했는지 모르는 것투성이야. 아는 건 마물을 무찔렀지만, 인명 피해가 컸다는 거…… 원인은 아무래도 토벌대 중 누군가가 배신했기 때문인 것 같아."

이 토벌에는 에이나도 참전한다. 마왕을 무찌를 자격을 가지지 못해도 그녀는 앞으로의 전투에 중요한 인물이고, 소피아의 부탁도 있었다. 배신자 때문에 패배하는 결말은 피하고 싶었다.

할 수 있으면 피해도 최소한으로 줄이고 싶은데…… 이건 예전에 유노가 말한 게임 테두리 밖의 일이다. 신중하게 움직여야 했다.

"알았어. 잘 처신해야 하는 모양이군."

"그러게……. 설명은 이걸로 끝이야. 토벌에는 나도 참여할 게. 쓸 수 있는 마물이 그리 많지 않아서 얼마나 도움이 될지 는 모르겠어."

"마물은 여러모로 도움이 돼서 든든해."

"그렇게 말해주니 고마워."

리엘이 상냥하게 말했다. 여기서 못을 박아두자.

"리엘, 참여하는 건 좋은데 하나만 부탁할게."

"응."

"소피아 일이야. 토벌대에 참여하거든 소피아에 관한 화제 는 꺼내지 말아줘."

"내가 나서서 두 사람 일을 말할 생각은 없으니까 걱정하지 마."

그가 쓴웃음을 지었다.

"사정이 있는 것도 알고, 그걸 누군가에게 말하는 것 자체 가 위험하다는 것도 잘 알아. ……너희의 사정이 범죄와 연관 된 게 아니라는 것은 나도 알고, 믿고 있으니까 그런 걱정할 필요 없어. 물론, 너희가 자발적으로 말한다면 이야기가 다르 지만."

……우리가 마왕과 싸우는 것은 아니까 그걸로 됐다는 건 가? 리엘이 그렇게 주장하니 나는 「그럼 됐어」라고 답변했다.

"그리고 리엘, 너를 보호하는 사람을 만날 수 있을까?"

"지위가 있는 사람이라서 일단 문제가 없는지 본인에게 확 인해볼게. 마족과 싸울 때 도와줬다는 정도만 말하고, 소피아 씨가 빛을 품은 것 같은 핵심적인 정보를 알릴지는 루온 씨에게 맡길게."

"너도 여러모로 힘들겠네. 나는 상관없어."

"알았어."

그 후, 리엘이 자리에서 일어났다.

"오래 잡아둬서 미안. 이만 숙소로 가볼게."

"우리 집에서 안 묵고? 부모님은 괜찮다고 하셨어."

"정식으로 동료가 된 것도 아니라서 죄송한 마음이 들어. 그럼 이만."

그가 일방적으로 말하고 집을 나갔다.

"귀중한 정보네요."

소피아가 입을 열었다. 나는 수긍했다.

"남은 거점을 가진 마족과의 싸움이 열쇠가 되겠어."

"우리는 조금이라도 빨리 강해져야 한다는 건가요?"

"거기에 남부 침공에 대비해 전력을 확보해야 해…… 어렵지만, 해야 해."

나는 숨을 크게 내쉬었다. 어느새 어깨에 힘도 들어갔다.

"딱딱한 이야기만 해서 조금 지쳤어. 오늘은 이쯤 하자."

"네."

산책이라도 할까…… 잠시 생각한 끝에, 그보다 먼저 하고 싶은 일이 떠올랐다.

"소피아, 푹 쉬어."

"루온 님은요?"

"고향에 돌아왔잖아. 조금이라도 그럴싸한 일을 해보려고."

나는 2층으로 가는 계단을 가리켰다.

"내 방으로 갈게."

내 방, 이라고 해도 특별하지는 않았다. 좁은 방에 간소한 침대. 나무 책상과 책장. 불투명 유리처럼 밖이 보이지 않는 창문이 하나, 양지바른 곳인지 햇볕이 들어왔다. 루온의 기억에 의하면 검을 휘두르지 않을 때는 여기서 마법 서적을 읽었다.

방에 들어와서 느낀 것은…… 역시나 그리움보다 위화감이었다.

"……이 방, 싫어했구나."

"응? 왜?"

"—아, 유노. 따라왔구나."

이제야 옆에 천사가 있는 것을 깨달았다.

"태도가 이상해서."

"눈치도 좋아……. 유노가 안 보일 정도로 생각에 잠겨있었나?"

문을 닫고 책상으로 다가갔다. 책상 옆에 있는 책장을 보니 마법 서적 외에 공부하면서 쓴 노트가 어지럽게 꽂혀있었다.

"부모님이 청소는 했는데, 물건은 버리기는커녕 손도 안 댄 것 같아."

"그래서 왜 싫어했는데?"

"……루온은 줄곧 부모님의 귀족 지위를 다시 복권(復權)하는 것만 생각했거든. 그래서 솔직히 이 집도 싫어했어. 근데 뭐, 지금은 그런 것보다는—."

나는 유노를 보며 어깨를 으쓱했다.

"내 방 같지가 않아."

"……전생의 기억과 관련 있어?"

"응. 루온의 기억과 인격이 내 안에 있지만, 지금은 『유이치』의 의식이 강하니까. 자꾸 마음에 걸려."

"그렇구나."

유노가 내 눈앞으로 와서 팔짱을 끼었다.

"소피아에게도 말할 수가 없어서 스트레스가 쌓였나?"

"그럴지도 몰라. ……언젠가 말할 날이 오겠지. 유노는 신경 쓰지 않아도 돼."

"그래?"

"응, 걱정하지 마. 무슨 일 생기면 말할게."

나는 쓴웃음을 지으며 말하고 손뼉을 쳤다.

"감상적이게 됐잖아. 이 이야기는 이걸로 끝."

"루온이 괜찮다면야……."

그때, 조심스럽게 문을 두드리는 소리가 났다.

"네."

문이 열리고 소피아가 나타났다.

"시, 실례합니다."

"왜 그렇게 쭈뼛거려?"

소피아가 긴장하며 천천히 내 방으로 들어왔다. 손에 든 나무쟁반 위에는 김이 피어오르는 찻잔 두 개와 쿠키가 있었다.

"아, 항상 주시던 거네."

"응? 루온, 항상 주시던 거라니?"

"방에서 공부할 때면 어머니가 차와 쿠키를 가져다주셨거든. 소피아, 거기 놔줘."

유노에게 대답하며 쟁반을 책상 위에 놓아달라고 했다. 소피아가 쟁반을 놓자 나는 그녀를 의자에 앉혔다.

나는 침대에 앉아 차를 마셨다. 한 모금 마시는 동안, 소피아가 안절부절못하는 게 보였다.

"……아까부터 왜 그래?"

"아뇨, 그게……."

"루온의 방이라 긴장했나 보지."

유노의 배려라고는 찾아볼 수 없는 지적에 소피아가 흠칫했다.

"저, 저기. 뭐라고 할까, 이런 식으로 루온 님의 자택에 들를 줄은 생각도 못 했던지라……."

"솔직히 나도 놀랐어. 그래도 좋은 기회지."

그렇지만 한숨이 나왔다. 계속되는 재회에 지쳤다.

"소피아가 없었으면 정말 힘들었을 거야. 고마워."

"아뇨……. 제가 루온 님께 받은 은혜에 비하면 한참 부족합니다."

소피아가 기쁜지 미소를 지었다. ……무슨 말을 하고 싶은 것 같은데?

"소피아, 신경 쓰이는 거라도 있어?"

"아…… 저기……."

찻잔을 쥔 손에 힘이 들어갔다. 무슨 일인가 말을 기다리는데…… 갑자기 계단을 다다다다 내달리는 소리가 들렸다.

기억 속에 있는 익숙한 리듬이었다.

"사라야."

"루온, 어떻게 알아?"

"어릴 적에 책을 읽고 있으면 꼭 밀어닥쳤어. 발차기를 날릴 정도로 터무니없는 것도 변하지 않고, 이것도 그대로네."

잠시 뒤 조금 난폭하게 문을 두드리는 소리가 났다. 내가 반쯤 포기한 심경으로 대답하자 힘차게 문이 열렸다.

"자! 설교하러 왔다!"

사라는 그렇게 외친 뒤, 소피아를 보고 멈췄다.

"……네 차는 없어."

나는 홍차를 마시며 말했다.

"아, 그거는 루온이 가져와."

"거절한다."

생김새는 어른스러워졌는데 기억 속에 있는 사라와 언행이 거의 바뀌지 않았다. 심성은 성장하지 않았나 보다.

"흥, 종자가 있을 줄은 몰랐는데……. 그럼 설교는 다른 날에 해주지. 그나저나—."

사라가 천천히 소피아를 바라봤다.

"아까 일레이 씨랑 만나서 알게 됐는데, 지도를 받는다고?"

"네, 그렇습니다."

"나도 같이하기로 했으니까 잘 부탁해. 선배로 모시도록!"

"너 못됐구나."

솔직하게 말하자 사라가 나를 노려봤다.

"이런 건 상하관계를 확실히 해놔야 해. ……아, 참."

사라가 손뼉을 쳤다.

"소피아 씨, 내일부터 여기서 지내는 거지? 괜찮으면 내가 여기저기 안내해줄게."

"어, 저기……."

"일은 얼추 끝내서 문제없어. 괜찮지?"

소피아가 잠시 침묵하더니 이내 차를 들이켜고 일어섰다.

"감사합니다. 잘 부탁드립니다."

"좋아. 루온, 종자 좀 빌릴게."

"응. 소피아, 식기는 두고 가."

사라와 소피아가 방을 나가고 나와 유노만 남았다. ……잠시 뒤, 유노가 한탄하듯이 중얼거렸다.

"조금 기대했는데……."

"무슨 소리야?"

"소피아 말이야. 그렇게 뜸을 들이기에 고백이라도 할 줄 알았는데……."

유노가 몹시 아쉬워했다. 설령 고백하려고 했더라도 네가 있어서 여기서는 안 했을 거라고 속으로 태클을 걸고…… 나는 어깨를 떨궜다.

"있잖아, 유노."

"왜~? 기대하면 안 돼? 모처럼 루온의 고향까지 와서 소꿉친구도 만났는데 조금은 뭐가 있어도 되는 거 아니야?"

"왜 화내는 거야……. 그리고 뭐가, 라니?"

"아니 왜, 사실은 루온이 소꿉친구를 짝사랑한다든가, 어쩌다가 착각을 한다든가, 다양한 이벤트가 일어날 법도 하잖아."

몸에서 힘이 쭉 빠졌다. 나는 깊은 한숨을 내쉬었다.

"……예전에도 이런 이야기했던 것 같은데, 소피아 앞에서는 가만히 있어 줘."

"나도 알아. 루온은 어떻게 생각해?"

유노가 나를 똑바로 바라보며 물었다.

"소피아가 어떻게 생각하는지, 당연히 알고 있지?"

……종자가 되어 여행을 시작한 직후에 비하면 신뢰감은 확실히 높아졌다. 소피아의 호감은 처음 만나 성에서 교류하던 시절에 유노가 지적한 그대로일 테고, 그 감정은 변하기는커녕, 내 마음도 커졌다.

그러나 소피아는 발크스 왕국의 왕녀이다. 입장 차이가 있기 때문에 호감을 명확하게 밝히지 않았다. 아티팩트인 반지를 줬을 때와 레드라스의 성에서 싸우고 격려했을 때는 뚜렷한 감정을 보이긴 했지만—.

"소피아는 숨기려는 걸까?"

"응. 평소에는 드러내지 않아. 그런데 소피아는 기습당하면 생각이 입과 태도로 나오거든."

음, 그건 처음 듣는군.

"루온, 리엘 씨에게 자신이 마왕을 무찌를 존재라는 말을 듣고 불안해하는 소피아를 밤에 위로해준 적 있지?"

땅 밑으로 가기 전 일을 말하는 건가. ……아니, 잠깐만.

"야, 훔쳐봤어?"

"당연하지!"

"당당하게 말할 일이야?"

"그거 말고도 마법 도구를 줬을 때도 그래."

그때는 미소를 지었지.

"여기서만 하는 말인데, 도구 때도, 대화 때도, 소피아는 혼자서 고민했어."

……내가 들어도 되나 싶었지만, 유노가 말을 꺼냈으니 물어봤다.

"고민? 무슨 고민?"

"감정을 겉으로 드러내면 루온이 눈치챌까 봐, 그래서 평소에는 아무 일 없는 것처럼 군다고."

"……일단 내가 아는 줄 모른다는 건가."

"루온의 태도가 변하지 않았잖아. 땅 밑에서 싸운 뒤에 소중한 동료라고 했으니까 괜찮다고 생각하지 않았을까?"

평소에 보여주는 명석함을 생각하면 들켰다고 생각할 만도 한데……. 깊이 생각하지 않으려는 걸지도 모르겠다.

"루온, 이렇게 어중간한 관계를 계속 이어가려고?"

"……내가 먼저 다가가도 소피아가 부정하지 않을까? 왕녀의 입장이 있으니."

"음, 소피아가 문제인가? 그럼 어떡해야 하지……."

유노가 중얼거리며 생각에 잠겼다. 나는 다시 한숨을 내쉬고 자연스럽게 창문을 열어 밖을 내다봤다. 나란히 걷는 소피아와 사라가 보였다.

사라는 잡아끌고 소피아는 조심스러웠다. 두 사람의 성격이 보였다. 문득 유노를 보니 두 사람을 보며 미소를 짓고 있었다.

아, 안 좋은 예감이 들었다.

"……좋았어."

동시에 유노가 창밖으로 날아갔다. 목표는 틀림없이—.

"—야!"

나는 황급히 방을 나갔다. 계단을 뛰어내려가 밖으로 나가 유노를 쫓았다.

마침 유노가 그들과 막 만난 참이었다. 발소리에 사라가 나를 보고 의아한 시선을 보냈다.

"루온? 무슨 일이야?"

"오, 루온도 쫓아왔으니 확인해보자."

유노에게 그만하라고 하려고 했지만, 나보다 먼저 그녀가 질문했다.

"있잖아~ 그냥 궁금해서 그런데~."

"뭐가?"

"두 사람은 루온을 어떻게 생각해?"

……이 상황에 폭탄을 투하할 필요는 없잖아!

소피아는 굳어버렸고, 유노는 기대하는 표정으로 추이를 지켜봤다. ······나는 사라가 어떻게 대답할지 예상이 돼서 마음속으로 무의미하다고 중얼거렸다.

"······천사님은 아수라장이 될 대답을 원해?"

"아, 그렇게는 안 될 거라는 말투네."

"그렇지, 뭐. 루온은 가족 같은 거니까. 루온한테도 그렇게 말했어."

"응, 그랬지."

유노가 재미없어했다.

"뭐야, 시시해."

"야, 유노."

"유노, 이상한 말 하지 마세요."

나와 소피아에게 잇따라 한소리 들은 유노가 뺨을 부풀렸다.

"으······ 그럼 소피아, 아까 루온의 방에서 뭐라 말하려다가 말았잖아. 왜 그랬어?"

"갑자기 루온 님 댁에 실례했는데 민폐가 아닐까 해서요."

"나는 괜찮으니까 신경 쓰지 마."

"그러시군요······. 유노, 그렇게 된 거니까 이야기가 복잡해지게 하지 말아요."

"알았어."

휴우······.

"그럼 이제 내가 질문할게."

그때, 이제 끝난 줄 알았는데 사라가 움직였다.

"가족 일이라서 신경 쓰여. 소피아 씨, 루온이랑 무슨 관계야?"

"아, 그게……."

"루온이 있는 데서는 말할 수 없는 관계야?"

봐줄 생각이 없나 보다. 좀 봐줘!

나라도 자리를 떠야 하나 고민하는데 소피아가 갑자기 자세를 바로 했다.

"저기, 루온 님께는 여러모로 신세를 졌고…… 동료이자 사제관계에 가장 가깝습니다."

함께 여행했던 길버트가 한 말과 똑같았다. 실제로 그런 느낌이고.

"흐응~, 루온도 남한테 도움이 될 때가 있구나?"

"네, 정말 감사하고 있습니다."

"동료라, 그 이상의 감정은 없어?"

……사라도 유노 같은 타입이구나.

"아뇨, 저기……."

"왜, 연애감정이라든가—."

"아, 아뇨, 그, 그런 것은……."

"있다는 거네?"

"없습니다!"

부정하고 만 소피아를 보고 웃음이 터질 뻔했다. 유노는 숨기는 시늉도 하지 않고 폭소했다.

사라도 소피아의 필사적인 반응에 웃었다. 소피아만 홀로

당황해서…… 나를 보며 불편한 표정을 지었다.

내가 보는 앞에서 전면 부정했으니 지극히 당연한 반응이긴 한데……. 그때, 사라가 내게 다가와 어깨에 툭 손을 올렸다.

"루온, 차였구나. 힘내."

"……아, 응."

"아, 아뇨, 루온 님, 그게……."

소피아가 말끝을 흐렸다. 나는 손을 내저었다.

"신경 쓰지 마, 소피아. 그럼 나는 갈게. ……유노, 더 복잡해지게 하지 마."

"네네~."

만족한 유노를 보고 나는 탄식하며 소피아와 사라에게서 등을 돌렸다. 잠시 뒤, 웃음소리가 들렸고…… 그들은 마을 거리로 나갔다.

그 뒤로 나는 집안에서 시간을 보냈고, 소피아가 돌아오고 저녁을 먹었다. 그동안 나와 소피아는 대화를 나누지 않았다. 그래도 유노가 키득키득 웃는 걸 보니 상황이 나빠지지는 않았나 보다.

이내 밤이 오고 나는 방에서 자려고 했지만, 이 방의 위화감이 사라지지 않아서 잠들 수가 없었다.

하룻밤 정도 안 잔다고 문제는 없지만…… 천장을 올려다보며 멍하니 있는데 갑자기 창문을 똑똑 두드리는 소리가 났다.

"……유노야?"

침대에서 일어나 창문을 열자 들어온 것은—.

"레핀?"

"안녕, 루온."

천사는 없었다. 레핀만 있었다.

"무슨 일이야?"

"소피아 일로 몇 가지 확인하고 싶어서."

그녀가 내 앞을 떠돌며 말했다.

"지난 전투로 결의를 밝혀서…… 소피아를 걱정할 필요는 없어졌어. 우리가 만났을 때, 소피아에게 루온의 사정을 설명할지 어떡할지 이야기했었지?"

"아, 그랬지. 그때는 아직 말할 때가 아니라고 레핀이 주장했잖아."

나는 5대 마족 레드라스와 벌인 땅 밑 전투를 회상했다.

"……소피아의 불안 때문에 말하면 안 된다고 했잖아?"

"그래. 하지만 그건 떨쳐냈고, 소피아가 루온에게 인정받을 때까지 기다리겠다고 선언했어."

레핀이 쓴웃음을 지었다.

"나는 소피아가 루온의 힘을 보면 자기가 필요 없다고 생각할까 봐 걱정했어. 하지만 마왕을 무찌를 자격을 가진 것과 루온의 존재는…… 소피아가 큰 결단을 내리게 했어."

"결과적으로 잘 된 건가?"

"응. 그래서 부탁이 하나 있어."

레핀이 자기 가슴에 손을 대고 내게 말했다.

"루온의 사정을 말할 타이밍을…… 내게 맡겨줘."

"······레핀은 소피아와 계약해서 심정까지 이해하고 있겠지. 나는 찬성인데, 그렇게 강하게 요구하는 데는 이유가 있는 거야?"

"이제 검을 놓는다는 선택은 하지 않을 거야. ······하지만—."

레핀이 고개를 숙였다. 아직 뭐가 더 있나?

"······사정을, 가르쳐줄 수는 없어?"

"이건 내 걱정이고, 아직 소피아도 자각하지 못했어. 만약 지금 루온에게 말하면······."

"아, 오히려 내가 의식할 것 같네. 알았어. 말하지 않아도 돼."

"미안해."

레핀이 사과했다. 전부 소피아를 위한 일이었다. 나는 고개를 가로저었다.

"소피아를 위해서잖아? 나는 괜찮으니까 신경 쓰지 마."

"고마워. ······왜 그래?"

레핀이 물었다. 내가 갑자기 한숨을 쉬었기 때문이었다.

"이렇게 밀담을 나누는 게 소피아에게 미안해서."

"그러게. 어서 모든 사실을 알릴 때가 오기를 바라. 그리고 낮에 있었던 일 말인데······."

레핀이 고개를 갸웃거리며 말했다.

"나는 둘이 같은 마음이니까 그걸로 충분하다고 생각하는데······."

새삼 대놓고 말하니까 창피한데······.

"소피아는 왜 그렇게 부정할까?"

"······여러 사정이 있으니까."

"왕녀라서?"

"응. 소피아가 바라도 어쩔 수 없는 일이 있어. 왕녀라는 신분은 막중한 거야. 인간은 어떤 가문에 태어나느냐에 따라 큰 짐을 지게 되니까."

"그래……."

레핀이 왠지 아쉬워하는 것처럼 보였다.

"알았어. 아, 소피아는 루온을 매정하게 대할 생각이 없어."

"그건 나도 잘 아니까 걱정 안 해도 돼."

"알았어. 그럼 이만 갈게."

"응. ……아, 레핀. 수행할 때 소피아를 잘 부탁해."

"물론이지."

레핀이 방을 나갔다. 나는 창문을 닫고 다시 침대에 누웠다.

머릿속에 소피아가 떠올랐다. 유노가 말하지 않아도 소피아가 어떻게 생각하는지 뼈저리게 잘 알았다. 하지만 그녀에게는 본래 있어야 할 세계가 있고, 나는 그곳에 있지 못한다.

"……전쟁이 끝나면 어떻게 해야 하지?"

성급한 생각인가……. 나는 그런 생각을 하며 자연스럽게 잠이 들었다.

제14장 배신자

다음 날, 나는 단장을 하고 밖으로 나갔다. 소피아와 집으로 달려온 일레이, 사라가 배웅했다.

"죽지 않을 정도로만 열심히 해."

사라가 내 외투를 잡아당겨 억지로 얼굴을 들이댔다.

"소피아 씨는 내게 맡겨."

"……내가 간 다음에 무슨 일 있었어?"

"실례잖아. 아무튼 어제 이야기를 나눠보고 어떤 상황인지 알았으니까 잘해줄게."

방긋 웃는 사라를 보며 나는 불안해졌다. 잘해달라고 해봤자 의미가 없다는 것을 깨달은 나는 반쯤 포기하고 고개를 끄덕였다.

그리고 자세를 바르게 한 소피아에게 말했다.

"소피아, 다녀올게."

"네, 조심하세요."

"죽지 마라."

일레이의 말에 나는 「네」라고 대답하고 마을 입구로 향했다.

그곳에서 리엘이 홀로 기다리고 있었다. 나는 손을 들어 인사했다.

"리엘, 잘 부탁해."

"나야말로 잘 부탁해, 루온 씨."

"열심히 하자."

즐겁게 날아다니는 유노를 보며 우리는 여행을 시작했다. 진로는 남서쪽, 토벌에 참가하는 용병들이 모이는 마을이었다.

"자, 이제 마물을 토벌하러 갈 건데…… 바로 확인 좀 해볼게."

나는 마을 밖으로 나오자마자 리엘에게 사역하는 마물에 대해 물었다.

"리엘, 레드라스와 싸운 뒤에 마물은 늘었어?"

"아니, 늘지 않았어. 남은 마물은 다섯 마리. 전부 늑대형이고 날렵한 녀석들이야."

"기동력이 높군. ……능력은?"

"별로 강하지 않아서 큰 전력은 못 돼."

"그럼 생각 좀 해봐야겠네."

그때, 유노가 조언했다.

"기동력을 살려서 정찰용으로 쓴다든가?"

"그것도 한 방법이지. 마물은 오감이 있어서 적을 찾아낼 수 있어."

오, 든든해. ……그러자 리엘이 자조하듯이 웃었다.

"레드라스와 싸울 때는 감쪽같이 당했지만."

"그때는 적이 한 수 위였을 뿐이야. 그 전투 이후로 마족이 간섭하려는 움직임이 보이지는 않지만…… 마물 토벌에 마족이 엮여 있다면 리엘을 경계할 가능성이 있어."

어떡하지…… 잠시 고민하다가 문득 한 가지 생각이 떠올랐다.

"리엘은 이번에 나서지 말자."

"그럼 어떡해?"

"……계획을 말하기 전에 하나만 확인할게. 마물에게 오감이 있다고 했잖아. 어느 정도 탐지할 수 있어?"

"사람보다는 감도가 높아. 진짜 늑대와 동등한지는 모르겠는데…… 어떡하려고?"

"인간 쪽에 배신자가 있잖아? 배신자를 먼저 색출해야 해. 수상한 움직임을 보이는 인물을 찾아서 적의 작전을 엿듣는다거나."

그 말에 리엘의 표정이 바뀌었다.

"내 마물을 이용해서 말이지?"

"나도 사역마를 부려서 수상한 인간이 있으면 점 찍어둘게. 둘이 하는 게 더 낫지?"

내 사역마는 사방에 퍼뜨려놓기도 했고 여러모로 제약이 있었다. 어디까지나 사역마가 본 정보만 알 수 있을 뿐, 오감을 써서 세세하게 주변 상황을 파악하지 못했다. 그렇기에 리엘의 마물로 얻을 수 있는 정보는 귀중했다.

"그리고…… 우리는 토벌에 어떤 식으로 참여하게 될까? 아무리 그래도 정규군은 아니겠지?"

"나를 보호해주는 사람이 토벌과 관련이 없어서 정규군으로 참가하기는 어려울 거야. 해도 용병으로 하겠지."

"그렇군. 만약 가능해도 정규군에 들어가지는 않을 거야.

후보가 있어."

"후보?"

되묻는 그에게 나는 웃으며 대답했다.

"새벽의 자유기사단. 리엘, 레드라스와 싸운 뒤에 빛을 품은 사람에 대해 말했었지?"

"응. ……그러고 보니 발크스 왕국의 기사 에이나 포크드 씨가 자유기사단에 있어."

"아는 사이야."

"호오?"

리엘이 흥미롭게 반응했다.

"어쩌다가?"

"예전에 만날 기회가 있었어."

"그랬구나. 나도 빛을 품은 사람에게 관심이 있어. 그 사람을 만날 거라면 나도 같이 갈게."

"그러자."

결정을 내리자 리엘이 「좋아」라고 대답했다.

며칠 동안 여행한 끝에 도시에 버금가는 마을에 도착했다.

"자, 에이나 씨가 어디 있는지 찾아보자."

우리는 마을을 돌아다녔다. 고용된 용병이 모인 마을이라 거리마다 무장한 사람이 많았다. 게다가 정규군으로 보이는 장비를 갖춘 사람들도 보였다. 일단 그들끼리 싸우지는 않는 것 같았다.

"나라에서 사람을 꽤 많이 불렀네."

"때에 따라서는 그대로 고용해서 전력으로 삼으려는 속셈일지도 몰라."

리엘의 언급에 나는 「그렇구나」 하며 이해했다.

다만, 상당한 위험이 따랐다. 마족과 내통하는 인간이 있으니, 만약 그런 인물이 성에 들어간다면……

"나라에서는 그런 걸 어떻게 생각할까?"

머릿속으로 생각을 굴리며 걸었다. 가면서 물어물어 에이나가 있는 곳을 찾았다.

용병들을 곁눈질하며 거리에서 조금 벗어나자 약간 큰 여관이 보였다. 왕궁에서 인증한 여관으로, 자유기사단으로 참전하는 사람들은 이곳에 숙박하는 모양이었다. 망국의 기사이지만, 실력을 고려해서 다른 용병과는 다르게 취급했다.

이제 어떻게 에이나와 만날까 생각하는데 밖으로 나오는 기사가 보였다.

"아……"

유노가 중얼거렸다. 음, 틀림없었다. 에이나다.

장비가 이전의 습격당했을 때와 달랐다. 투구를 쓰지 않아서 은발이 보였다. 그것 외에는 어깨에서 발끝까지 전부 선명한 빨간색이었다. 발크스 왕국 표준 무장이 아니었다. 자유기사단은 장비가 제각각이라 에이나에게 좋은 장비를 준 건가?

에이나가 우리 쪽으로 걸어왔다. 고개를 숙여서 우리를 알아차리진 못했다. 그래서 묵묵히 그녀에게 다가갔다. 리엘이 말없이 따라왔다.

　우리의 발소리와 딱딱한 갑옷 소리가 노면에 울렸다. 에이나는 불과 몇 미터를 앞에 두고서야 누군가가 걸어오고 있다는 걸 알아차리고 고개를 들었다.

　눈이 마주치자…… 그녀는 얼어붙었다.

　"……아."

　"설마 했는데—."

　나는 그런 말을 하며 미소 지었다.

　"오랜만이에요, 에이나 씨."

　"……루온, 공."

　비취 같은 두 눈이 크게 뜨이고 나를 뚫어져라 쳐다봤다.

　"제 고국에서 마물을 토벌한다고 해서 참전했는데, 에이나 씨가 새벽의 자유기사단으로 참가한다는 소식에 인사드리러 왔습니다."

　내 설명에도 그녀는 한동안 당황해했다.

　"……그렇, 습니까. 이런 곳에서 만날 줄은 꿈에도 몰랐습니다."

　"괜찮아? 무서운 표정인데."

　유노의 질문에 에이나가 힘없이 웃었다.

　"나라를 빼앗긴 몸입니다. 여유가 없으니까요. 뒤에 계신 분은?"

　"루온 씨와 동행한 리엘 나라티입니다."

　그가 얼른 자신을 소개했다.

　"리엘이라고 불러주세요."

"그러시군요……. 음, 루온 공. 토벌에는 용병으로 참여하십니까?"

"그렇지 않을까요……? 잠시 시간, 괜찮습니까?"

내 요청에 에이나가 고개를 끄덕였다.

리엘은 인사를 마치고 숙소를 잡겠다며 자리를 뜨고 나와 유노만 에이나와 이야기하기로 했다. 기사단이 있는 여관에 들어가기 어려워서 서서 대화하게 됐지만…….

"죄송합니다."

"아뇨, 누가 봐도 용병이니까 거절당해도 어쩔 수 없죠."

예의 바르게 사과하는 에이나에게 나는 쓴웃음을 지으며 대답했다. 가까이에서 보니 소피아가 말한 대로 옛날과 분위기가 제법 바뀌었다. 소피아처럼 공허하지 않은 대신, 늠름한 인상을 줬다.

게다가 조국을 해방하려는 의연한 태도가 더해져서 에이나를 접하는 사람의 허리가 꼿꼿해질 정도였다.

발크스 왕국이 붕괴하고 지금까지 싸워온 것도 변화와 관련이 있을까. 에이나의 시나리오 초반에서 중반까지는 나라를 빼앗긴 기사들과 연계해 태세를 가다듬는 것이 주축이었다. 지금은 그 과정이었다.

어느 정도 기사들이 모이면 마족에게 제압된 일부 지역에 반격을 가한다. 장소마다 난이도 설정이 다른데, 에이나와 소피아의 고향인 발크스 왕국은 시나리오 후반에 가지 않으면 어려웠다.

에이나의 시나리오는 계속 마족, 악마와 싸우기 때문에 몹시 바쁘다. 할 일이 많아서 다른 네 명의 주인공들보다 답답하다는 인상이 있었다. 그러나 전투에 변수가 많아서 전투를 즐기고 싶은 사람들에게는 그럭저럭 인기가 있었다.

"그렇게 바짝 굳을 필요 없어."

한없이 진지한 에이나에게 유노가 명랑하게 말했다.

"모처럼 다시 만났는데⋯⋯. 나랑 루온한테는 편하게 말해도 돼."

"아뇨, 아무리 그래도 그건 좀⋯⋯."

"⋯⋯정중하게 말할 필요 없어요."

내가 말했다. 소피아와는 늘 편하게 말하는데 에이나에게 존댓말을 쓰려니 자꾸만 위화감이 들었다.

"그 대신, 저도 평소에 쓰는 말투로 말할게요."

"⋯⋯그럼, 좋다."

정중한 말투에서 딱딱한 말투로 바뀌었다. 바뀐 게 없는 것 같은데⋯⋯ 소피아처럼 저런 말투가 몸에 배었나 보다.

"그래서, 기사단에 들어간 경위는?"

화제를 돌려봤다. 이미 아는 정보이지만.

"그럼 우선 내가 나라를 떠난 경위부터 설명하지."

에이나가 전제를 두고 설명했다. 발크스 왕국 수도가 마족에게 습격당하고 소피아와 국왕이 사로잡혔고 — 실제로는 내가 구했다 — 그 후로는 새벽의 자유기사단에 들어가 마물과 밤낮으로 싸웠다는 내용이었다.

말하는 도중에 에이나의 표정이 가끔 험악해졌다. 소피아가 생각났기 때문이겠지.

"솔직히, 답답하다. ……소피아 님과 폐하께서 무사하신지 모른다는 게 무엇보다 불안해. ……하지만 지금은 믿는 수밖에 없어."

에이나가 괴로운 표정을 지었다. 상당히 초조하리라.

지금은 소피아의 의향도 있으니 그녀의 걱정을 덜어줄 수 없었다. 가만히 있자 에이나가 내게 물었다.

"루온 공은 고향에 갔다가 토벌 소식을 듣고 참가했나?"

"맞아. 얼마나 도움이 될지는 모르지만."

"루온 공의 실력이라면 충분히 도움이 된다. 잘 부탁한다."

"열심히 할게. 기사단은 이번에 어떤 역할을 맡아? 마물 토벌의 중심은 피스일리아군이지?"

"보조를 명받았다. 용병들도 그 역할을 맡고."

"마물이 어떤 형태로 포진했는지, 그런 정보는 있어?"

"그래, 지금 아는 것은—"

에이나에게 마물과 어떻게 싸울지 개요를 들었다.

마물을 메인으로 사냥하는 것은 피스일리아 왕국의 군대다. 인원은 대략 2, 3백 정도로 군대치고는 소규모이지만, 정예부대였다. 그리고 새벽의 자유기사단과 용병들이 그들 옆에 포진해 지원하는 식인 모양이었다.

"기사단과 용병은 따로따로야?"

"아니, 함께 한다. 가장 다루기 어려운 그들을 우리 자유기사단이 제어한다."

운도 없지, 억지로 떠맡았네. 왕국군이 하기 싫어서 떠밀었겠지.

"연계를 위해 여러모로 모색한 결과, 용병 측에서 리더를 정하면 그와 협의해서 해나가기로 정했다."

"리더라…… 용병들을 통솔하다니 상당한 실력자인가?"

"그래. 그리고 그 밑에 각각 부리더가 있는데 둘 중 하나는 나고, 다른 쪽은 리더의 동행인이다. 참가한 용병들 중에 그 사람의 지인이 몇 명 있어서 잘 중재해달라고 부탁했다."

연계할 태세는 잘 만들어놓았군.

"그리고 우리 기사단과 용병만 보조하는 게 아니야. 이웃 나라에서 부대를 보내는 모양이다. 정규군의 오른쪽에 우리, 왼쪽에 원군이 포진할 예정이다."

원군이라……. 피스일리아 왕국의 이웃 나라라면 타우레저 왕국인가?

다만, 그 나라에는……. 생각에 잠긴 사이, 한 기사가 에이나를 불렀다.

"아, 미안하군."

"아니, 우리는 괜찮아. 이야기해줘서 고마워."

"그래. ……그럼 잘 부탁한다."

에이나는 발을 돌려 여관으로 돌아갔다. 그 뒷모습도 굳어 있었다.

"왠지 어깨에 계속 힘이 들어가 있네."

유노의 말에 나는 마음 깊이 동의했다.

"왕녀 일도 있으니까 계속 긴장을 풀지 않고 있어."

"그러게……. 루온, 이제부터 어떡할 거야?"

"용병 쪽에 참가하면 에이나와도 접촉할 수 있고, 소피아의 부탁도 들어줄 수 있으니 그렇게 하자. 오늘은 리엘과 합류하고 쉴까? 며칠 뒤에 출발한다니까 잠깐 여기서 지내야겠네."

이 토벌은 게임 시나리오의 테두리 밖에 있기 때문에 내 지식이 통하지 않는다. 따라서 얼마나 전황을 파악하고 상대의 계획을 읽느냐에 걸렸다. 리엘의 마물과 나의 사역마를 이용해 정보를 수집하며 피해를 최소한으로 막기 위해 싸우는 것이 기본방침이군.

나는 어떻게 움직여야 하나…… 그런 생각을 하며 걷다가 어떤 인파를 발견했다.

"오, 뭐지?"

유노가 관심을 보였다. 나는 이끌리듯이 그쪽으로 발을 옮겼다.

다가가니 용병들이 활기를 띠고 있었다. 그 가운데에 나보다 큰 장신의 검사가 있었다.

"……결과적으로 우리의 요구가 먹혔다."

은발에 야성미가 넘치는 외모는 그가 역전의 검사라는 것을 확신하게 했다. 그가 무리의 중심이 되어 주변 용병들과 담소를 나누고 있었다.

"우리의 공헌도가 높아지면 보수도 오른다. 저쪽이 좀 구두 쇠이긴 하지만, 교섭은 내게 맡겨."

검사가 자신감을 보이며 말하자 다른 용병들이 오오오 하고 술렁거렸다. 음, 저 사람은 아마—.

"에이나가 말한 리더인가 본데?"

"루온, 게임에서 본 적 있어?"

"아니, 없어."

루온의 기억에도 없었다. 나는 근처에 있던 남자 전사에게 물었다.

"저기요, 저기서 말하는 사람이 리더죠?"

"어, 맞아. 몰라? 전사 더반이야. 더반 프로지아."

더반. 그 이름을 듣고 나도 모르게 그를 봤다. 전사가 내 반응에 「이제 알았어?」라고 말하고 멀어졌다.

"아는 이름이야?"

유노가 물었다. 나는 더반을 관찰하며 대답하려고 했다.

하지만 그때—.

"더반, 일단 모두에게 어떻게 움직일지 전달했어."

어떤 여자의 목소리가 들렸다. 그쪽을 바라보니 낯익은 차림새에—.

"—커티?!"

유노가 먼저 소리 질렀다. 그렇다. 더반에게 다가가려던 사람은…… 핀트 마을에서 엮였던 마법사 커티였다.

"어? ……아, 루온이랑 유노잖아?"

커티가 목소리를 알아차리고 손을 흔들었다. 더반을 포함한 몇 명이 우리를 주목했다.

으, 괜히 눈에 띄고 말았네. ……그렇게 생각하는 사이, 커티가 다가왔다.

"우연이네, 무사해서 다행이야."

"……커티도, 토벌에 참가하러 왔어?"

그녀에게 묻자 「물론」이라는 대답이 돌아왔다.

"저번에 마족과 싸우는 사람을 만나면 도와달라고 했잖아? 그러다 만난 게 더반이야."

"아는 사이인가 보군."

더반이 다가왔다. 그는 그 외모로는 상상할 수 없을 정도로 부드러운 미소를 지으며 자신을 소개했다.

"더반 프로지아다. 더반이라고 불러."

"루온 마딘이야. 나도 루온이면 돼."

더반이 오른손을 내밀기에 악수했다.

"나는 용병을 통솔하는 역할이야. 커티에게 동료로서 부리더를 부탁했어."

에이나와 커티가 부리더구나.

"혹시 무슨 일 있으면 사양하지 말고 말해. ……커티, 정보는 다 다 전달했어?"

"응."

"그럼 부탁할 게—"

커티와 더반이 이야기하기 시작했다. 나는 두 사람과 조금 떨어져 유노에게 입을 열었다.

"유노, 더반은…… 게임에서 이름만 나왔어. 문제는 이게 마족에게 붙은 인물로 언급됐다는 거야."

"……오오."

유노가 당황하며 더반을 응시했다.

더반은 이름 있는 검사로 각지에서 활약하는데, 사실은 마족 쪽에 붙어서 인간 쪽에 피해를 주려고 했다는 에피소드를 게임 캐릭터에게 들었다.

그 후에는 인간 측과 싸우다가 죽은 것으로 알고 있다.

"아하, 리더의 위치를 이용해 여차저차 했다는 거구나."

"아직 이번 토벌에서 적이라고 결정된 건 아니야."

그렇게 전제를 두고 나는 말을 이었다.

"그가 현재 마족 쪽에 섰을 가능성이 아주 크지만, 그렇다고 해서 그가 이 토벌의 피해를 확대시킨 장본인이라고 단정하는 건 좋지 않아."

가장 경계할 상대임은 분명했다. 사역마로 그를 빠짐없이 관찰하고, 어떻게 움직이느냐에 따라 전투 방식을 바꾸자. 협력자가 있으면 그와 접촉할 테니 파악할 수 있을지도 몰랐다.

"아무튼, 요주의 인물이야."

그렇게 중얼거리고 자리를 뜨려고 했는데…….

"오, 여기 있었군."

옆에서 어떤 남자 목소리가 들렸다. 나는 시선을 옮겼다가 놀라서 몸이 굳었다.

용병들도 주목했다. 붉은 바탕의 귀족 복장을 한 남자가 서 있었다. 나이는 주름을 봤을 때, 마흔에서 쉰 정도일까. 새치 하나 없는 흑발과 탱탱한 피부에 위화감을 느꼈다. 굳이 더 말하자면 노화가 멈춘 듯한 기묘함도 느껴졌다.

그 옆에 한 사람이 더 있었다. 파란 머리카락을 어깨에 닿을 정도로 기른 20대 중반 여자였다. 오른손에 창을 들고 파란 법의를 입고 있었다. 신관전사인가? 어른스러운 데다 풍격이 있었다. 남자를 호위하는 것 같았다.

"자네를 꼭 만나고 싶었다네, 더반 군."

"……당신은?"

더반이 미간을 찌푸리자 남자가 싱긋 웃으며 대답했다.

"독시아 아자크. 피스일리아 왕국의 이웃 나라인 타우레저 왕국의 백작이다. 조력을 부탁받고 마물을 토벌하러 왔다네."

"―유노."

나는 주변에 들리지 않게 말했다.

"아자크 백작은…… 내가 막고 싶은 이벤트에서 싸워야 할 인물이야."

"그것참…… 그럼 저 두 사람이 뭔가 한다는 거야?"

더반과 아자크 백작이 잡담을 즐겼다. 처음 만나는 것처럼 보이지만, 실제로는 그런 척하는 것일 뿐, 이미 구면일 가능성이 있었다.

"옆에 있는 사람은 리리샤 나탄텔. 백작에게 살해당하는 사람이고…… 난 그걸 막고 싶어."

"흐음…… 그런데 왜 같이 있어?"

"리리샤는 백작령의 신관전사라서 백작이 움직이면 호위할 수밖에 없어. 뭐, 속으로는 생각이 많겠지."

여하튼 마족에 가담하는 두 사람이 있는 이상, 그들이 무언가를 일으키는 것은 확정인가. 전투가 시작되면 사역마를 풀어서 두 사람을 관찰하기로 하자.

머릿속으로 결론을 내리는 사이, 더반과 대화를 마친 커티가 다가왔다.

"이런 데서 만날 줄은 몰랐어. 루온은 어쩌다 이 마을에 온 거야?"

"여기는 내가 태어난 나라야. 마물 토벌을 한다고 해서 힘을 보태려고 왔어."

"아, 그렇군. 지금은 혼자서 여행 중이야?"

"동행하는 사람이 있는데 이 토벌에는 참가하지 않았어."

"그래. 그럼 잘 부탁해."

커티가 웃었다. 내 실력을 일부 알기에 나오는 반응이었다. 그러나 그녀의 동료인 더반은 배신자…… 어떡하지.

"루온."

유노의 부름에 정신을 차렸다.

"어떻게 할지는 여관에 가서 생각하자."

"……그래, 그러자. 커티."

이름을 부르자 그녀가 눈을 맞췄다.

"잘 부탁해."

"응, 나야말로."

커티가 대답하고 더반에게로 돌아갔다.

"……그럼 리엘과 합류하자."

"응."

나는 그들에게서 등을 돌리고 걸음을 뗐다.

"더반과 아자크 일을 리엘에게 말하고 작전을 세워야 하나……."

"그러려면 루온의 사정을 말해야 해."

……괜찮지 않을까? 리엘은 5대 마족이 가진 빛과 마족이 남부에서 침공한다는 정보를 알고 있다. 즉, 마왕을 토벌하기 위한 중요 정보를 가지고 있으니 거기에 내 정보를 더한들 별 문제는 없을 것 같았다.

"난 반대야."

그러나 유노는 부정적이었다.

"리엘 씨를 못 믿는 건 아니야. 하지만 줄거리를 하나부터 열까지 알게 되면 영향이 너무 크지 않을까?"

"영향……."

"리엘 씨가 얼마나 영향력이 있는지는 그렇다 쳐……. 설명하려면 당연히 루온의 능력도 말해야 하잖아. 더 부하가 걸린다고."

"막 굴릴 수 있는 몸이라 괜찮아."

"하지만 과정에 문제가 생겨서 마왕이 알게 되면 큰일이잖아?"

……그렇긴 하지.

"루온도 말해야 하나 망설이고 있지?"

"응."

"망설여진다면 어떻게 될지 모르니까 말하지 않는 게 낫다고 생각해."

"……알았어. 일단은 리엘에게 수상한 소문이 도니까 경계해야 한다고 하자."

그렇게 유노와 협의를 마친 후, 리엘과 합류하기 위해 거리를 나아갔다.

잠시 뒤, 리엘과 합류해 숙소로 들어갔다. 아자크와 더반이 있었다는 것과 두 사람에 대한 수상한 소문이 돈다는 말을 전하자 그가 자신의 견해를 밝혔다.

"백작의 좋지 못한 소문은 나도 들었어. 그리고 마족이 책략을 세운다면 지휘하는 인간을 회유하는 게 가장 빠르지. 경계해야겠어."

그는 쉽게 받아들였다. 따라서 우리는 특별히 아자크와 더반에게 주의를 쏟기로 했다.

며칠 뒤, 수도에서 군대가 오고 드디어 토벌대가 출발했다. 왕국군을 선두로 아자크 백작의 사병이 뒤를 따랐고, 그 뒤를 새벽의 자유기사단과 용병이 따랐다.

용병의 리더인 더반과 부리더 커티가 그들의 선두에서 걸었다. 나와 리엘은 제일 뒤쪽 부근에서 걸었고 근처에 에이나와 여러 기사가 있었다.

"리엘. 야영지에서 주의해줘."

옆에서 걷는 리엘에게 말했다. 그가 고개를 끄덕였다.

"응. 마물은 준비해놨으니까 문제없어."

다섯 마리의 늑대형 마물은 다른 사람이 알아차리지 못하게 거리를 두고 이동했다. 그리고 그의 품에는 새로운 마물…… 정찰용 마물 두 마리가 있었다. 마을에 있는 동안 리엘이 만든 것이었다.

마물은 쥐처럼 생겼다. 늑대가 가까이 있으면 의심받으니 이 정도가 최선이었다.

예정대로라면 하루 동안 목적지로 향한다. 군의 사기는 제법 높았고, 용병들은 놀라울 정도로 리더의 통솔을 따랐다.

"기합이 들어간 수준이 다르네."

유노가 기사들을 본 감상을 말했다.

"엄청 힘 들어갔어."

"그만큼 마물 토벌을 중요하게 여기는 게 아닐까?"

"그런가?"

유노가 고개를 갸웃거렸다. 개운하지 않은 것 같지만, 결론이 날 리가 없었다.

"마족이 언제 침략해올지 모르는 상황이다."

그때, 에이나가 다가왔다.

"그러니 일을 그르치면 안 된다고 생각하는 거겠지."

"그럴지도."

현재, 더반과 아자크는 수상한 움직임을 보이지 않았다. 마을에서도 사역마로 관찰했지만, 아무것도 하지 않았다. 아자크는 리리샤와 병사가 있어서 함부로 행동할 수 없었다. 더반은 용병을 통솔하며 맡은 바를 다했다.

일단 보기에는 만반의 태세를 갖췄다. 그러나 두 사람이 배신자라면 몹시 위험했다.

언제 허점을 드러낼까. 나와 리엘이 관찰하고 있긴 하지만…… 신경을 써야 하는 작업이라 힘들었다.

"에이나는 이번 토벌을 어떻게 생각해?"

유노가 문득 에이나에게 물었다.

"나는 이 나라 군대가 강한지 몰라서 말이야."

"사전에 조사한 결과로는 질적으로 충분히 이길 수 있는 전력이다. 확실하게 고려했을 테니 문제없을 거다."

낙관적인 견해에도 불구하고 에이나의 눈은 험악했다.

"신경 쓰이는 것은 마물이 나타난 경위다."

"경위?"

"갑자기 마물떼가 둥지를 틀고 수도와 주변 마을을 위협하기 시작했다. ……원래 대륙에 있었던 마물이 갑자기 그럴 가능성은 적어. 그렇다면 장기의 영향을 받은 마물이거나 마왕의 부하이지. 전자라면 그리 문제 되지 않겠지만, 후자라면 어딘가에 마족이 있을지도 모른다. ……전투가 힘들어질 수도 있다고 예상된다."

에이나가 걱정을 내비쳤다. 인간 쪽에 배신자가 있다는 쪽으로는 생각이 미치지 않았다. 왕국군도, 용병도 마물은 경계했지만, 아군을 의심하지는 않았다.

　이런 상황에 인간이 배신하면 당연히 동요할 것이다. 게다가 그 상대는 백작과 이름 있는 용병…… 사정을 아는 나와 리엘이 없으면 대처하기 어려울지도 모르겠다.

　게다가 이 토벌에는 게임에 등장하는 커티와 에이나도 있었다. 이 일 자체는 게임의 테두리 밖에 있지만, 제대로 확실하게 대처해야 했다.

　"리엘, 수상한 점이 있으면 바로 보고 부탁해."

　"응."

　아무튼 조금이라도 정보를……. 그러나 더반과 아자크는 결국 허점을 드러내지 않았고, 우리는 그대로 야영하게 됐다.

　용병들은 주어진 텐트에서 뒤엉켜 잤다. 그건 상관없지만, 작전 회의를 하려면 밖으로 나가야 해서 불편했다.

　혹시 수작을 부린다면 야영할 때 하려……. 그러나 예상한 보람도 없이 아자크와 더반은 움직이지 않았다. 이렇게 되면 이미 수작을 부렸다고 봐야 하나.

　"들키지 않게 세심한 주의를 기울이고 있군."

　저녁을 먹은 후, 어둠이 내린 시각. 교대로 망을 보다가 내 차례가 됐다. 맡은 위치의 바닥에 앉아 입을 열었다.

　"유노는 어떻게 생각해?"

　"나도 같은 생각이야. ……지금까지는 제법 평화로운데."

　유노가 어깨에 앉아 중얼거렸다. 도중에 마물이 나타나지도 않았으니 그렇게 느낄 만도 했다.

"내일은 아수라장이 벌어지겠지. 폭풍전야인가?"

"힘내, 루온."

"남 일처럼 말하긴……."

"소피아도 노력하고 있을 테니까 루온도 활약해야지."

……지금쯤 소피아는 검술 수련에 매진하고 있겠지. 사역마를 마을에 남겨두긴 했지만, 이상은 없는지 확인하는 정도라 수행하는 풍경은 볼 수 없었다. 어떻게 될지 기대와 불안이 교차했다.

"……왠지 안 좋은 예감이 들어."

"왜?"

"아니, 일레이 씨와 사라가 같이 있잖아? 그 둘이라서 그런지 소피아에게 뭔가 저지를 것 같아서."

"옛날에 무슨 일 있었어?"

"예를 들면, 그래…… 나를 놀리려고 익명으로 가짜 연애편지를 주고 내가 어쩔 줄 몰라 하는 걸 지켜본다든가……."

"흉악한 짓을 하네."

아무리 그래도 그 말은 좀 지나친 것 같은데……. 태클을 걸려고 했을 때, 옆에서 발소리가 들렸다.

눈을 돌리니 에이나가 이쪽으로 오는 게 보였다.

"무슨 일이야? 아직 교대하기엔 일러."

"아니, 미안하게도 교대는 아니다. 잠시 루온 공과 이야기를 하고 싶다."

에이나가 내 옆에 앉았다. 나는 말이 나오길 기다리며 밤하늘을 올려다봤다.

"⋯⋯루온 공은, 왕녀와 함께 있었던 일을 기억하나?"

"당연하지. 잊을 리가 없잖아."

나는 그렇게 대답하며 에이나의 얼굴을 살펴봤다. 그녀의 입꼬리에 미소가 걸려있었다.

"그런가. ⋯⋯처음에 나는 루온 공에게 검을 겨눴었지."

"신경 안 써. 오히려 당연한 반응이었어."

침묵이 찾아왔다. 소피아 이야기를 하고 싶은 건가?

"⋯⋯한 가지, 부탁이 있다."

"내게?"

"그래. 발크스 왕국을 해방해 왕녀를 구한 뒤, 만나주길 바라."

"그건 상관없는데⋯⋯ 왜 이렇게 진지하게 말하는 거야?"

다시 정적. 에이나의 옆얼굴이 괴로워 보였다.

어쩌면⋯⋯ 사로잡힌 왕녀와 왕이 무사하지 못하다고 예감했는지도 모른다.

그러나 입 밖으로 꺼내기는 꺼려졌고, 무엇보다 그렇게 믿고 싶지 않은 것 아닐까.

"⋯⋯왕녀는 절대로 말하지 않을 테니, 내가 말하지."

에이나가 운을 뗐다.

"왕녀는⋯⋯ 소필리아 왕녀는, 네게 호감이 있다."

⋯⋯응? 잠깐만.

설마 에이나가 언급할 줄이야⋯⋯. 적잖이 동요했다.

"처음 만났을 때부터인지, 아니면 이후에 성에서 만나면서부터인지는 모른다. 하지만 함께 성에서 지내는 동안, 명확한 마음이 싹튼 것은 사실이다."

"……어?"

"놀라는 게 당연하다. 세월이 흘렀으니 그런 감정은 사라지지 않았을까……, 루온 공이 그렇게 생각할지도 모르지만, 그건 아니다."

에이나가 거세게 말했다. 소피아의 얼굴이 기억 속에 되살아나 멈출 수 없게 된 것 같았다.

"습격당한 날까지, 왕녀가 루온 공을 마음에 둔 것은 틀림없는 사실이다."

"그냥 그리워한 게 아니라?"

"그래, 다르다."

"직접 확인하지는 않았잖아?"

"왕녀가 확실하게 말하지 않았고, 그 마음을 토로한 적도 없지만…… 다시 만나기를 바란 것은 나도 안다."

"그렇다고 해서 연애감정이 있을지 없을지는……."

"의심하는 게 당연하다."

에이나가 쓸쓸하게 웃었다.

"하지만 진실이다. 그러니 만약 다시 만나면 왕녀와 많은 이야기를 해주길 바란다."

부탁하는 그녀의 눈이 몹시 슬펐다. 마치 이루어질 수 없는 소원을 말하는 것처럼…….

게임에서는 그녀의 마음이 명확히 드러나는 부분이 적었다. 소피아와 왕이 마족에게 붙잡힌 시점에서 어떠한 각오를 다진 것 같았다.

만약 에이나가 소피아와 다시 만나다면……. 이것은 언젠가 일어날 일. 그때는 어떻게 해야 좋을까……. 내심 고민했지만, 답은 나오지 않았다.

"알았어. 하지만 반드시 기대에 부응하리란 장담은 못 해."

"부탁한다."

에이나가 간청했다. 나는 고개를 끄덕이고…… 쓴웃음이 나오려는 것을 간신히 참았다.

참고로 가까이 있던 유노는 웃음을 참는지 손으로 입을 막았다. 분명 에이나와 재회— 그것도 소피아를 공표하게 되면 어떻게 될지 상상하고 있겠지.

그런데 정말 어떡하지? 내가 어떻게 할 수 있는 문제가 아닌 것 같은데…… 일단 지금은 내버려 두는 수밖에 없나.

으, 으음, 일단…… 화제를 돌리자.

"토벌 말인데, 에이나는 용병과 같이 싸워?"

"그럴 생각이다. 용맹한 더반 공이 있어서 활약할 기회가 있을지는 모르겠지만."

……그의 신뢰도가 꽤 높은 모양이었다. 용병들에게 물어보고 다닌 바에 의하면 상당한 수의 마물을 무찔렀다고 평판이 나 있는 모양이었다.

착실하게 공적을 쌓아서 신용을 얻었나 본데…… 배신자니까 무용담 중에는 허풍도 있지 않을까? 그렇다 해도 약하지는 않겠지만.

그러나 새삼 마족 쪽에 붙은 더반을 생각해보니 왜 배신했는지 의문이었다. 예를 들어 힘이 이유라고 해도 왜 마족과 손을 잡는 짓을 했는가. 그런 그에게 내가 해야 하는 행동은—. 이런저런 생각에 잠겨 있는데 또 이쪽으로 다가오는 발소리가 들렸다.

"방해했어?"

아자크 백작의 호위를 맡은 리리샤였다. 손에 창을 들고 언제 마물이 와도 문제없도록 태세를 가다듬었다. 나는 자리에서 일어났다.

"아뇨, 괜찮습니다. 무슨 일이시죠?"

"기사 에이나를 꼭 만나고 싶어서. 이때까지 기회가 없었거든."

"나를?"

되물으며 일어난 에이나에게 리리샤가 오른손을 내밀어 악수를 청했다.

"기사단에서 홀로 기염을 토하는 인물이잖아. ……그 사람이 현자의 핏줄이라는 것도, 관심이 생긴 이유야."

리리샤가 웃으며 말하자 에이나가 살짝 표정을 굳혔다.

"……얼마나 부응할지는 모르겠으나 노력하겠다."

현자의 핏줄이라는 이유로 여기저기서 기대 받는 모양이었다. 부담감에 짓눌리지 않을까 불안하지만, 에이나는 조국 해방이라는 목적이 있으니 그런 것에 지고 있을 여유가 없었다.

그리고 에이나는 현재 일단 공을 세우거나 마족과 마물을 조금이라도 많이 쓰러뜨려 나라를 조금이라도 빨리 해방하고 싶어 했다.

리리샤는 그런 에이나를 한없이 부드럽게 대했다. ……다만, 그 얼굴에 드리운 그림자는 착각이 아니었다.

이윽고 두 사람은 두 손을 마주 잡았고, 악수를 마치자 리리샤가 나를 봤다.

"천사님을 데리고 있는 전사가 있다고…… 너에 대해서도 조금 들었어."

커티 쪽 사람들이 말했나?

"얼마나 할 수 있을지는 모르겠지만, 최선을 다하겠습니다."

"응, 잘 부탁해."

리리샤는 아름다운 미소를 남기고 떠났다.

"……마음의 피로가 쌓인 느낌이야."

유노가 말했다. 흠, 백작 때문에 속이 타나?

"그녀와 함께 있는 백작은 좋은 말이 안 들리더군."

에이나가 동감했다. 에이나의 귀에도 소문이 들어갔나.

"솔직히 여기서 무얼 하는지 모르겠다. ……주의해야겠군."

아자크가 어떤 의도로 토벌에 참가했는지는 불명확하다. 다만, 많은 사람들이 백작에 대해 떠도는 어두운 소문을 아는 모양이었다. 왕국군도 이것은 알 테니 경계는 하겠지?

그럼 더반에게 주의를 덜 할 테니……. 그가 배신하면 위험해지겠다.

"일단 리엘과 이야기해볼까."

결단을 내리고 나는 에이나에게 말을 걸었다.

"이제 그만 쉬어야 하지 않아?"

"······그렇군."

그녀가 한숨을 내쉬었다.

"루온 공, 무운을 빈다."

"응."

나는 텐트로 돌아가는 그녀의 뒷모습을 바라봤다.

"루온, 어떡할래?"

유노가 물었다. 나는 살짝 어깨를 으쓱했다.

"어쨌든 현지로 가서 상황을 확인해야겠지."

"아니, 그거 말고. 에이나 씨가 대놓고 말했잖아."

······내가 침묵하자 유노가 입을 막으며 웃었다.

"설마 에이나 씨가 말할 줄은 예상 못 했어······. 아～ 즐거움이 하나 늘었어."

"이 녀석이······. 일단 그건 내버려 두자. 이번 전투는 리엘과 단단히 연계해서 정보를 모으는 게 우선이야."

"그래. 이번 전투, 뭔가 답답하네."

유노의 말에 나는 「그러게」라고 동의했다.

일개 용병 신분으로는 한계가 있었다. 왕국군에 지시 내리기는 당연히 불가능하고, 용병에게 신뢰받지 못하니 명령하기 어려웠다.

그렇다고 내 힘을 살려서 날뛰기도 곤란했다. 상대의 동향을 살피며 싸워야 했다.

"동료를 지휘했을 때처럼 이것도 경험이라고 생각하자."

"긴장돼?"

"전보다는 나아."

내가 이끄는 게 아니니까……. 그때, 다른 용병이 교대하러 와서 이만 잠자리에 들기로 했다.

다음 날, 아침. 드디어 결전의 날.

우리는 산 아래에 있는 평원에 포진했다. 산 앞에 존재하는 숲 한구석, 마물 둥지 근처에만 산불이라도 난 것처럼 나무가 없이 트인 공간이 산 중턱까지 이어졌다.

"마물 둥지는 산속에 있다! 우리 피스일리아 왕국군이 선봉을 맡고 다른 이들은 좌우로 퍼져 숲을 경계하도록!"

대장으로 보이는 기사가 말 위에서 우리에게 명령했다. 복병을 경계하나.

군은 본대를 중앙으로 아자크 백작과 왕국군 일부가 왼편, 새벽의 자유기사단과 용병은 오른편에 배치됐다. 숲이 울창하고 우거져서 밖에서는 안쪽이 거의 보이지 않았다. 마물이 숨어 있기 충분해서 왕국군이 주의하는 게 이해가 됐다.

"루온 씨."

상황을 확인하던 중, 리엘이 내 옆으로 왔다.

"마물을 먼저 보내서 상황을 살펴봤어. 보고할게."

"적에게 들키지 않았어?"

"저번 일을 반성하고 수색해서 괜찮았어. 지금은 숲에 마물이 없어."

"둥지에 있는 마물 종류는 구체적으로 파악했어?"

"늑대 머리에 인간의 몸을 가진 마물이야. 크기는 우리와 비슷하거나 작아. 갈색 털에 무기는 없어."

……게임 내에 코볼트라는 마물이 늑대 머리를 달았는데 신장은 우리와 거의 비슷했다.

그럼 이번 마물은 코볼트가 아니라 다른 늑대 계열 마물인가. 네 다리로 날렵하게 움직이는 늑대의 아종이자 인간형이면서 발톱으로 공격하는 타입이군. 게임에서는 무기의 유무로 명칭이 달라졌다.

리엘의 말에 의하면 무기를 소지하지 않았으니 『솔져 울프』인가. 그냥저냥 강하고 무찌르기 어렵지 않았다.

"그리고 하나 더."

리엘이 계속 말했다.

"수는 적지만, 두더지처럼 생긴 마물도 있어."

"두더지?"

"크기는 늑대 마물의 반 정도야. 두더지치고는 제법 크니까 이 녀석도 마물이야. 늑대처럼 갈색이고."

게임에서 『킬 몰』이라고 불리던 녀석이다. 나는 보고를 듣고 머리가 번뜩였다.

"……리엘, 쥐처럼 생긴 마물 아직 데리고 있어?"

"응. 여기서는 풀어놔도 들킬 염려가 없으니까 언제든 쓸 수 있어."

발아래에는 신발이 묻힐 정도로 풀이 자랐다. 리엘의 말대로 쥐를 풀어도 몰랐다.

"냄새와 소리는 감지할 수 있지?"

"응, 그건 왜?"

"두더지 마물이 땅속을 파서 길을 만들고 있을지도 몰라. 확인해줘."

그 말에 리엘이 고개를 끄덕였다. 잠시 뒤―

"……확실히, 땅속에서 무슨 소리가 들려."

"루온, 발밑에 적이 있다는 거야? 그럼 지금 당장 공격할 가능성도 있어?"

유노가 바닥을 내려다보며 물었다. 나는 고개를 좌우로 저었다.

"시작할 때까지는 아무것도 안 할 거야. 지금 공격해도 일단 물러났다가 맞받으면 끝이니까."

전투를 준비하는 왕국군을 주목하며 말을 이었다.

"주력부대가 깊숙이 들어간 순간, 땅속에서 나타나 퇴로를 막지 않을까?"

"정답인 것 같은데."

유노가 담소를 나누는 용병들을 보며 중얼거렸다.

"그럼 어떡하지?"

"그래 봤자 좌우에 있는 용병과 백작의 사병이 대응하면 끝이야. 가령 백작과 더반이 적이더라도 리리샤 씨와 다른 용병들까지 배신하지는 않을 거고, 피해를 입어도 한정적일 테니 괴멸하지는 않을 거야."

나는 입가에 손을 대고 머리를 굴렸다.

"피해가 크다는 리엘의 정보를 밑에 깔고 생각하면, 하나가 더 필요해……. 예를 들어 우리를 혼란에 빠뜨린다든가."

"……만약 내가 한다면."

리엘이 말했다. 마물을 조종하는 그의 의견. 나는 귀를 기울였다.

"좌우에 있는 사람들을 혼란에 빠뜨리기 위해 산발적으로 나타나 기습하는 식의 난전으로 이끌 거야. 그렇게 전투에서 빠져나가지 못하게 하면 주력인 왕국군의 퇴로를 막을 수도 있어."

리엘이 후우, 한숨을 내쉬었다.

"그런데 애초에 둥지에 있는 마물로 주력부대를 이길 수 있을까……?"

"복병이 있다고 생각하는 게 좋겠어. 힘으로 밀어붙일 수 있는 전력이 있으면 좋은 계략이 되니까 피해가 큰 게 이해돼."

나는 리엘에게 대답하고 산을 올려다봤다.

"리엘, 마물로 숲과 둥지 주변만 조사했어?"

"아, 응."

"알았어. 사역마로 산을 좀 더 조사해보자."

"뭐가 있을 것 같아?"

유노의 질문에 나는 심각한 표정으로 대답했다.

"무기를 쓰는 악마 같은 걸 상상하고 있어. 전장이 혼란에 빠지고 국군이 퇴로를 잃어 사기가 떨어졌을 때, 악마가 돌격하는 게 가장 효과적이야."

"나도 그렇게 할 거 같아."

리엘이 동의했다. 복병을 얼마나 찾아내느냐에 달렸군.

대화하는 동안에도 준비가 갖춰졌다. 왕국군의 사기는 높고 어지간한 일로는 눈 하나 깜빡하지 않을 것 같았다.

하지만 리엘의 정보에 의하면 상당한 피해를 보게 된다. ······ 현재 확인되는 마물만으로 왕국군을 어떻게 할 수 있을 거라고 생각하기는 어려우니 역시 어딘가에 복병이 있을 터였다.

그것을 얼마나 빨리 감지하는가. 그리고 더반과 아자크가 어떻게 움직이는가. 사역마와 리엘의 마물로 그들을 계속 감시해야 한다.

잠시 뒤, 기사들이 준비를 마치고 드디어 임전 태세에 돌입했다.

더반과 아자크에게 수상한 점은 없었다. 역시 이미 사전에 작업을 마쳤다고 생각해야겠다. 땅속에 마물을 숨긴 것이 그것을 증명했다.

"그럼 내가 할 수 있는 건······."

잠시 생각한 뒤, 에이나에게 다가갔다.

"에이나, 리리샤 씨에게 정보를 전달할 수 있어?"

"정보?"

"사역마로 수색하다가 마물을 발견했는데······ 대책이 있어."

그녀의 눈빛이 바뀌었다.

"내용은?"

"둥지에 있는 마물은 단독으로 움직이는 인간을 우선해서 노리는 경향이 있어. 몇 명…… 셋에서 다섯 명 정도 뭉쳐서 싸워야 해."

게임에서 솔져 울프는 고립된 동료를 노렸다. 다 같이 뭉쳐있을 때는 대부분 방어적으로 나와서 싸우기 쉬웠다.

킬 몰은 조금 재빠르지만, 여럿이서 공격하면 도망치지 못하고 대처하기 편하니 솔져 울프 때처럼 뭉쳐서 대처하면 문제없다. 설명을 들은 에이나가 「좋다」고 승낙하고 근처에 있는 기사에게 전령을 의뢰했다.

이어서 나는 커티에게 갔다.

"이봐, 커티."

"응? 왜?"

"용병 중에 마법을 쓸 수 있는 사람이 몇 명이야?"

"음, 글쎄…… 열 명 정도? 순수한 마법사는 적어."

"알았어. 수색하다가 마물 종류를 알아냈는데 그 녀석은 마법으로 처리하는 게 효율적이야. 마법을 쓰는 사람들을 둘로 나눠서 지원하게 해줘."

"좋아. 그렇게 지시할게."

"더반한테 확인받지 않아도 돼?"

"편성은 내게 맡겼거든. 더반은 공격대장 역할이 좋은가 봐."

"그래. 그럼 부탁해."

커티에게 신용이 있어서 쉽게 받아줬다. 왕국군도 돕고 싶지만, 신용이 없으니 어렵겠지. 내가 할 수 있는 것은 적의 계획이 시작되면 즉각 대응하는 정도인가.

"그럼 루온. 나는 주머니에 숨어 있을게."

"응, 전투 중에는 밖으로 나오지 마."

유노와 대화를 마치자마자 대장으로 보이는 인물이 말 위에서 검을 치켜들었다.

"전진!"

호령과 함께, 드디어 군이 움직이기 시작했다.

나와 리엘은 용병 쪽에서도 뒤쪽에 자리를 잡고 상황을 살폈다. 리엘은 마물을 부려 정보를 얻으려 했고 나는 사역마로 복병을 찾았다.

이내 전방에서 함성과 마법을 썼는지 폭음이 들렸다. 전투가 시작됐다.

용병과 새벽의 자유기사단은 전투를 지원하기 위해 오른편에 포진했다. 모두 긴장한 표정이었다. 용병들은 이제나저제나 하며 더반의 지시를 기다렸다.

오른편 전방에 있는 기사단도 일단 자세를 잡고 침착하게 대비하는 인상이었다. 후방에 있는 에이나를 포함한 기사들은 숲속을 경계하며 부지런히 움직였다.

"……루온 씨."

그런 와중에 리엘이 보고했다.

"땅속에 있는 마물들이 활발해졌어."

"적도 시작하려는 모양이군……."

지금부터가 승부다. 나는 사역마로 복병을 찾으며 마법으로 검을 만들었다.

만약 더반과 아자크가 배신한다면 마물에게 지시를 내리기 위해 무언가 할 터였다. 아니면 지휘하는 마족이 따로 있고, 기회를 봐서 배반하라고 명령받았을 지도 모른다. 어느 쪽이든 그들에게 조금이라도 수상한 움직임이 보이면 우리도 대응해야 했다.

본대는 확실하게 마물을 격파해갔다. 상공에 있는 새 모양의 사역마를 통해 관찰하니 병사들의 훈련도가 높아서 솔져 울프는 별것도 아니었다.

이런 전황이 이어진다면 아무리 생각해도 인간이 괴멸하는 결말이 나올 리 없었다. 둥지 속에서 계속 마물이 나와서 숫자가 전혀 줄지 않았지만…… 마물이 무한하지 않을 테고 둥지 입구를 막는 방법도 있었다. 주도권은 우리가 잡았다.

적이 어떻게 나올까. 그때, 사역마가 동굴에서 숲으로 뛰쳐나오는 늑대를 포착했다. 왕국군과 직접 싸우지 않고 돌아서 공격하려는 것 같았다.

"리엘, 전투가 임박했어."

작게 말을 걸자 그가 고개를 끄덕였다. 그리고 숲속에서 수풀을 헤치는 소리가 들렸다.

"마물이다! 전원 요격 개시!"

자유기사단 대장의 지시에 더반이 앞장서 달렸다.

즉각 부리더인 커티와 주변에 있던 용병들이 따랐다. 우리와 자유기사단도 뒤를 잇자— 마물이 모습을 드러냈다!

상대는 왕국군이 싸우는 것과 같은 솔져 울프였다. 선두에 선 마물이 울부짖자 숲에서 더 많은 적들이 나타났다.

더반이 적을 베었다. 마물이 방어 자세를 보였음에도 그는 검을 내리쳤다.

공격은 가볍게 마물의 팔을 가르고 검날이 몸까지 닿았다. 그야말로 일도양단— 순식간에 먼지가 되었다.

"실력은 괜찮은 모양이네."

유노가 평가했다. 나는 마음속으로 동의하며 『홀리 샷』을 발사해 가까이 있는 마물을 날려버렸다.

"얼음의 정령이여, 얼음 화살을 이루어— 마를 쫓아라!"

커티의 마법이 이어졌다. 얼음 속성 하급 마법인 『프리즈 애로』다. 그녀의 주변에 생긴 얼음 화살이 마물에게 사정없이 내리꽂혔다!

카가각, 얼음이 부서지는 소리에 공격당한 마물의 비명도 섞였지만, 그마저도 모조리 얼어붙었다. 이어서 더반이 겁먹은 마물을 사정없이 베어 여러 마리를 한 번에 날려버렸다.

주변에 있던 몇몇 용병들이 칭찬했다. 그동안에도 더반은 다음 마물을 공격했고…… 지금까지는 압도적이었다.

"루온 씨, 백작은 움직임이 없어."

그때, 리엘이 보고했다. 사역마로 관찰해보니 그의 말대로 리리샤와 백작의 사병이 벽이 되어 숲에서 밀려오는 마물을 막고 있었다. 특히 리리샤의 창 실력이 대단했다. 한 번의 휘두르기에 마물이 사라지는 것을 보니, 상당한 실력자라는 확신이 들었다. 병사들도 그녀의 모습에 분발해 적의 수를 줄여 나갔다.

그러나 백작은 현재, 후방에 있을 뿐이었다. 나는 리엘에게 「계속 관찰해줘」라고 지시하고 근처에 있는 에이나에게 말을 걸었다.

그녀를 포함해 뒤에 있던 기사들이 후방 부대인지 아직 싸우지 않았다. 하지만 언제 돌격해도 이상하지 않은 상황이었다.

"어때 보여?"

"……우리가 밀고 있다. 걱정할 필요 없다고 생각한다만."

그때였다. 리엘이 내게 소리쳤다.

"루온 씨!"

무엇을 뜻하는지 바로 이해했다. 내가 하늘에 있는 사역마로 전장 상태를 확인했을 때.

흙먼지가 일어나는 소리가 들렸다. 주위에 있던 기사들이 무슨 일인가 살폈다.

지상에 구멍이 생기고 그 아래에서 마물들이, 다수의 솔져 울프가 킬 몰과 함께 기어 나왔다.

"아니……?!"

누군가가 신음했다. 주변 사람들이 놀라는 와중에 나는 가까운 구멍으로 망설임 없이 질주했다!

마물이 병사를 노리기 전에 검을 휘둘렀다. 마물을 단칼에 베자 먼지가 되었다. 음, 내 힘 정도면 더반처럼 한 방이군.

하늘에 있는 사역마의 시점으로 이런 구멍이 전장에 얼마나 생겼는지 파악했다. 그곳에서 마물들이 나타나기 시작하자 양쪽에 있던 이들이 놀라 당황했다.

전방에 있는 왕국군은 아직 반응이 없는데…… 그때, 전방과 우리를 잇는 곳에 구멍이 생겼다.

왕국군에도 아직 공격에 나서지 않고 전력 보전을 위해 기다리는 사람들이 있었다. 구멍이 생긴 곳은 그들과 전방 사이였다. 둥지를 노리는 기사들의 퇴로가 막혔다. 빨리 대처하지 못하면 위험했다.

더군다나 숲속에서도 마물이…… 형세가 갑자기 나빠졌다. 용병, 자유기사단, 그리고 백작의 사병…… 전부 땅속에서 나타난 적을 보고 당황해 발이 멈췄다.

전장의 혼란과 분단— 희생자가 많은 게 이해됐다. 여기에 결정타를 찌를 복병까지 있으면 완벽해진다.

그리고— 나는 사역마로 산에서 숲으로 이동하는 악마를 발견했다.

"왔나……."

그러나 대처할 수 있는 상황이 아니었다.

"에이나!"

나는 마물을 걷어차며 외쳤다.

"아까도 말했지만, 이 마물은 고립된 사람을 노려! 반드시 여럿이서 움직이게 해! 철저하게 지키며 싸워!"

"알겠다!"

에이나가 당장 주변에 있는 기사에게 지시를 내리고 용병들에게도 명령했다. 그러자 미리 알린 덕분인지 용병들이 순조롭게 뭉쳐서 움직였다.

이 정도면 되겠지……? 용병들이 혼란에서 벗어나 땅속에서 나온 마물들을 공격했다. 마법을 쓸 줄 아는 이들은 마물이 모인 곳에 화염구와 전격을 쏟기 시작했다.

커티는— 눈이 마주치자 괜찮다고 눈빛으로 대답했다. 마법을 쓰는 용병은 커티의 지휘를 받는 모양이었다. 이렇게 하면 잘 되겠지.

더반은 용병 여럿과 함께 숲에서 나오는 마물들과 분전했다. 자유기사단도 가세해서 순조롭게 적을 쓰러뜨렸다. 이런 상황에서는 반기를 들어도 기사단에게 저지당할 테니, 더반이 아직 배신할 타이밍이 아니었다.

"그럼……."

아자크 쪽은— 리리샤가 호령하며 마물과 맞섰다. 에이나를 통해 전령을 보낸 덕분인지 고립된 병사는 보이지 않았다.

만약 구멍에서 마물들이 나오기 시작한 시점에 잘못된 대처를 했다면 고립된 병사부터 희생됐을 것이다. 희생자가 늘면 병사들이 공황에 빠지고 군이 와해된다. 몹시 위험하다.

그러나 아슬아슬할 때 리리샤 쪽이 막아냈다. 하지만 다른 데로 돌릴 여유는 없었다.

이어서 피스일리아 왕국군을 살펴보니 전방과 후방이 나뉘고 지원도 없이 갈팡질팡했다.

"리엘! 이제 에이나와 함께 싸워!"

나는 지시하고 가까이 있는 적을 쓰러뜨리며 달렸다!

전방과 후방 부대 사이에 도착해 검을 놓고 대신 마법으로 창을 만들었다.

"흡!"

그리고 공격— 근처에 있던 마물 여러 마리를 한 번에 날려 버렸다. 주변 병사들이 눈을 휘둥그레 뜨고「오오!」하며 감탄하는 소리가 들렸다.

"고립되지 않게 여럿이 함께 움직이세요!"

내 말에 병사들이 얼굴을 마주 보더니 지시대로 했다.

지시는 곧장 전파되었고 병사들이 사기를 되찾았다. 나는 창을 휘둘러 적을 몰아냈다. 태세를 가다듬은 기사가 병사와 함께 공격했다.

"감사하오."

이어서 감사 인사가 전해졌다. 나는「아뇨」라고만 대답했다.

눈 깜짝할 사이에 전황이 뒤집어지고 인간이 우세해졌다. 병사들이 연계만 잘 하면 이번 공격은 쉽게 대처할 수 있을 듯했다.

후방 부대의 안전은 확보했나……. 아직 구멍에서 마물이 나오고 있지만, 인간 쪽이 잘 대응했다. 정도만 지키면 괜찮으리라.

이 상황에 더반과 아자크는 어쩌고 있나…… 사역마로 찾아보니 수상한 행동은 하지 않았다. 그럼 다른 목적이 있나?

내가 일단 동료들에게 돌아가려고 했을 때— 변화가 생겼다.

갑자기 더반이 용병 여럿을 데리고 숲속으로 갔다.

"뭐지……?"

의아해하며 우선 커티에게 다가갔다.

"커티! 더반은 어디 있어?!"

"악마를 발견하고 그쪽으로 갔어!"

악마— 사역마로 관찰했을 때, 악마들은 숲속에 있었다. 더반이 그것을 알고 간 모양이었다.

토벌대는 땅속에서 나온 마물들의 공격에 별다른 영향을 받지 않았다. 이렇게 되면 마물이 전멸하기 전에 무엇이든 해야 할 터……. 더반은 악마와 합류해서 명확하게 배신할 셈인가?

여기가 판단의 갈림길인 것 같다. ……더반을 쫓느냐, 이곳에서 싸우느냐.

"루온, 안 가?"

갑자기 유노가 물었다.

"솔직히 그 전사는 혼자 두면 위험할 것 같아."

여러 번 도움을 준 유노의 감. 그렇다면—

"알았어. 커티, 나는 더반을 쫓을 테니 여기를 부탁해."

"응, 맡겨둬."

병사들을 격려하던 커티가 손을 들어 대답했다.

에이나는 리엘과 함께 적확하게 마물을 무찔렀다. 이런 상태라면 도울 필요는 없겠군.

나는 무기를 창에서 검으로 바꾸고 더반을 쫓아 숲으로 들어갔다. 사역마의 시점으로는 용병을 데리고 성큼성큼 안쪽으로 들어가는 광경이 보였다.

이대로 가면 악마와 부딪힌다. 그때, 더반은 어떻게 나올까. 만약 마족이 「토벌대를 괴멸시켜라」라고 지시했다면 실패는 용납되지 않는다. 무슨 짓을 해서라도 악마를 이용해 군을 쓰러뜨리려고 할 것이다.

배신자에게는 열세였다. 과감하게 뭐라도 하지 않으면 이기지 못할 터……. 그렇게 생각하던 중, 바로 앞에서 악마의 포효가 들렸다.

마주친 모양이다. ……달리는 속도를 올려 나무 간격이 조금 넓은 곳에 도착했다. 이곳만 햇빛이 잘 들고, 돌아다닐 공간이 충분했다.

그곳에 악마가 있었다. 마르지 않고 근육질에 키는 2미터에 가까웠다. 피부는 적갈색, 날카롭게 솟은 이빨을 드러냈다.

이름이 분명 『포스 데몬』이었나. 힘으로 밀어붙이는 타입으로 레드라스의 거성에 있던 『클로 데몬』과 같은 시기에 만나는 악마인데, 공격력을 중시해서 움직임이 둔한 대신 주먹의 위력이 경이적이었다.

게임에서는 공격 속도가 느려서 잘 돌아다니면 피해 없이 무찌를 수 있었다. 그러나 현실에서는 나 말고는 어려우리라.

용병들은 악마를 멀리서 포위하고 검을 겨눴다. 함부로 덤비지 않은 것은 잘했군.

"……루온 씨, 왔나."

더반이 중얼거렸다. 날카로운 눈빛은 악마를 경계하는 것처럼 보였다.

"이봐, 어떡할 거야?"

한 용병이 그에게 물었다. 악마는 총 열 마리. 더반이 데려온 용병은 세 명. 아무리 생각해도 이기기 어려웠다. 보통은 후퇴를 선택하고 평지까지 유인할 것이다.

그러나 그는 그러지 않았다.

"예정대로 되지 않는 건, 네가 있기 때문이군."

단언— 그것이 무엇을 의미하는지 깨달은 순간, 더반의 눈에 살의가 깃들었다.

목표는 포위 중인 용병. 더반이 엄청난 속도로 그들을 공격했다!

"뭣……?!"

모든 용병이 더반의 공격에 당황해 굳었다.

"안 돼!"

나만 유일하게 그의 검에 반응했다. 첫 번째 사람이 베이기 직전, 검을 뻗어 공격을 막는 데 성공했다.

숲속에 울리는 쇳소리—. 눈을 가늘게 뜬 더반을 막으며 나는 용병들에게 외쳤다.

"모두 도망쳐!"

용병들은 필사적으로 내달렸다. 무슨 일이 일어났는지 모르는 표정으로, 그들은 도망쳤다.

한편, 나는 살짝 거리를 두고 더반과 대치했다. 그에게 칠흑이라고 표현해도 될 마력이 감돌았다.

"마족의 힘이야."

유노가 단정했다. 나는 마음속으로 동의하며 검을 고쳐 잡았다.

"표정을 보아하니 알아챘나?"

그가 물었다. 그의 얼굴에 분노가 어른거렸고 눈에는 뚜렷한 광기가 담겼다.

"……수상한 소문이 들렸어. 그뿐이야."

"호오, 그래? 잘 연기한 것 같은데 역시 완벽하게는 안 됐나."

더반이 탄식하고 검을 가볍게 휘둘렀다. 주변의 악마가 한 걸음 앞으로 나와 나를 위협하며 으르렁거렸다.

"혼자 오다니 운이 안 좋았어. 여기서 죽어줘야겠다."

냉혹한 목소리…… 더반은 나를 증오하는 시선을 던졌다.

"미안하지만, 나도 입장이라는 게 있거든. 작전을 성공시켜야 하니 방해꾼은 배제한다."

호랑이 꼬리를 밟은 모양이다. 뭐, 그렇게 돌아다녔으니 눈에 띌 법도 한가?

이러는 동안에도 포스 데몬이 조금씩 다가왔다. 나는 악마를 주시하며 더반에게 물었다.

"……왜 마족과 손잡았지?"

"들어서 뭐 하려고?"

"관심 있어. 돈에 눈이 먼 것 같지는 않고, 힘을 얻기 위해 이런 짓을 할 바보 같지도 않거든."

그러자 더반이 입꼬리를 끌어올렸다. 눈썹이 찌푸려질 정도로 기묘한 웃음이었다.

"……그래, 홀렸다는 게 답에 가깝겠군."

"홀려? 마족에게?"

"대화는 여기까지다. 할 일이 쌓였으니 단칼에 끝내주마."

"……이 전황을 이 정도 악마로 뒤집는 건 무리 아닐까?"

더반이 어깨를 으쓱했다.

"어떻게든 될 거야. ……아무튼 너를 죽이고 일이 원활하게 진행되도록 해야지."

"마족에게 의지하면 되잖아. 아마 악마라도 부려서 전장을 보고 있을 텐데?"

살짝 도발적으로 말하자 더반이 쓰게 웃었다.

"그럼 좋았겠지."

없나? 적어도 이 악마 외의 원군은 기대할 수 없는 모양이었다.

그럼…… 전력을 다하면 위험하니까 어느 정도 가감해서—그러나 악마 수가 많았다. 여기서 처리하지 못하고 돌파당해도 안 된다. 가감하면서도 악마는 되도록 빠르게 죽이자. ……어렵겠지만, 해야 해.

"루온, 이것도 수행이야."

유노가 홀가분하게 말했다. 내 왼팔에는 신령 가르크에게 받은 마력 제어용 리본이 묶여있다. 리본이 뜨거워지지 않게 하면 적어도 엄청난 마력을 가진 것은 들키지 않는다.

그 범위를 지키며— 이긴다.

"—죽어라!"

더반이 검을 휘둘렀다. 그 순간, 악마들의 입에서 짐승 같은 포효가 울려 퍼졌고 그중 두 마리가 돌격했다.

"한 번에 몰려오지는 않네."

좋은 일이었다. 나는 검을 쥐고 전진했다.

더반의 눈에는 무모하게 비쳤는지 그가 입꼬리를 일그러뜨리며 웃었다. ……여유 부리는 것도 여기까지다!

포스 데몬 한 마리가 주먹을 휘둘렀다. 이 녀석은 육탄전만 하는 마물이다. 주먹에 마력을 휘감고 오른쪽 스트레이트를 날리는 체술 하급기 『강력권』을 쓴다. 실제로 내게 접근한 적이 쓰려는 것도 이 기술로, 마력 장벽 없이 맞으면 뼈가 부러진다.

하지만 두려워하지 않고 끝까지 보면 쉽게 피할 수 있다. ……나는 포스 데몬이 휘두른 주먹을 옆으로 움직여 피하고 반격에 나섰다. 마력을 검날과 발끝에 모아 중급기 『청류일섬』을 날렸다!

검이 몸통에 박히고 그대로 몸을 갈랐다. 단말마와 함께 악마가 소멸하자 더반이 눈을 가늘게 떴다.

"과연, 이 악마와 싸워봤나 보군."

내 움직임을 보고 판단한 듯했다. 나는 반쯤 무시하고 이어서 오는 악마를 공격했다.

이 녀석의 약점은 분명…… 경험이 있는 걸 알아챘으니 약점을 공격해 쓰러뜨려도 의심하지 않겠지?

검에 기술을 쓸 때와는 조금 다르게 마력을 주입했다. 검날에서 파직파직 전기가 튀었다.

악마는 무심하게 주먹을 날렸고— 나는 즉각 맞섰다.

내가 쓴 것은 하급 마도기 『뇌도(雷刀)』. 이름처럼 전격 속성 베기 공격으로, 나는 주먹을 피하며 재빠르게 안으로 파고들어 베었다.

악마의 몸에서 터지는 소리가 들리고 전기 때문에 검게 탔다. 살이 타는 기분 나쁜 냄새가 일시적으로 주변을 가득 채웠고 악마는 사라졌다.

"둘 다, 일격에—."

더반이 중얼거리며 나를 응시했다.

"이 이상 줄이면 곤란한데."

더반이 한 걸음 다가왔다. 직접 대결…… 자, 어떻게 맞설까.

미처 생각을 끝내기도 전에 상대가 달려들었다. 무시무시한 속도— 마족의 힘이 분명했다. 마족의 힘을 이용해서 접근해 내가 뭔가를 하기 전에 비스듬히 공격했다.

나는 베기로 맞섰다. 쇠와 쇠가 격돌하는 소리가 들리고 힘겨루기에 들어갔다.

"너, 제법인데? 악마가 상대가 안 될 만도 하군."

그가 냉정하게 말하고 한 바퀴 돌며 물러나 복부를 공격했다. 나는 검을 방패 삼아 막았다. 팔에 충격이 전해졌지만, 문제없었다.

더반은 힘으로 밀어붙이기는 통하지 않는다고 판단했는지 당장 거리를 뒀다. 아직 여유로운가 본데—.

"이만 끝내지."

더반의 말이 끝나자 회오리가 휘몰아치는 소리가 들리고 마력이 짙어졌다.

마족에게 받은 힘으로 단번에 결판내려는가 보군. 그렇다면—.

더반이 말없이 달려들었다. 아까 같은 광기가 담긴 그 눈은, 유노가 「으악!」 하고 작게 비명을 지를 정도로 무서웠다.

나는 호흡을 가다듬고 검을 조금 세게 쥐었다. 더반의 공격은 호쾌한 가로 베기— 피할까, 막을까.

한순간, 판단을 망설여 몸이 멈췄다. 그러자 더반의 얼굴에 미소가 실렸다. 이런 상황에서는 한 번의 망설임이 생사를 좌우한다. ……그는 그렇게 인식한 듯했다.

그래서 그는 밀어붙이기 위해 더 밀어닥쳤다. 솔져 울프를 문답무용으로 벴을 때처럼 거셌다.

보통은 그의 생각대로 치명적일 공격이었다. 그러나 나는 타고난 능력으로 맞설 수 있다. 신체를 강화해 공격을 막았다. 검을 미끄러뜨려 받아넘겼다.

당연히 더반이 대항하려고 했으나 내가 더 빨랐다. 목표는 오른팔. 옆으로 피한 나는 한 곳을 노려 찔렀다!

계획은 성공했다. 오른팔 윗부분에 날이 박히고 선혈이 공중에 흩날렸다!

"윽?!"

신음한 그가 당장 물러나려고 했지만, 나는 그 점을 노려 이번에는 왼쪽 다리를 벴다. 날이 허벅지를 쉽게 파고들자 더반이 고통을 지우려는 듯이 크게 소리 질렀다.

"너……!"

그가 노려보며 검을 휘둘렀다. 악마들을 향한 명령이었는지 남은 악마들이 일제히 공격했다.

숫자로 밀어붙일 셈인가……! 나는 얼른 마력을 모으며 외쳤다.

"나의 힘은 마를 부정하는 검이 된다— 빛의 검이여!"

빛 속성 중급 마법 『뒤랑달』. 나는 왼손에 생긴 빛의 검을 사정없이 수평으로 휘둘렀다.

다가오는 악마들이 정면으로 공격당했다. 첫 번째 악마에게 닿은 순간, 약간의 저항을 느끼고 깨끗하게 몸을 갈랐다.

밀어닥치는 악마들을 차례로 베었다. 힘을 억제해서 마지막까지 세기를 유지하지 못했지만…… 그래도 악마들에게 충분한 피해를 줬다.

남은 악마들이 접근했지만, 더반은 당황한 게 보였다. 이대로는 위험하다고 확신한 것 같았다.

정답이었다. 다시 날린 수평 베기에 남은 악마들이 날아가며 비명을 질렀다. 그런데도 살아남은 놈들은 과감하게 움직였고…… 나는 오른손에 든 검으로 대처했다.

공격이 먹히자 모래를 씹는 듯한 소리와 함께 악마가 사라졌다. 더반은 명령할 여유도 없이 서 있기밖에 못했다.

"……이걸로 끝이군."

나는 빛의 검을 없애며 단정했다.

"그렇게 다쳐서는 만족스럽게 검을 휘두르기 힘들겠지? 네게 묻고 싶은 게 있어. 얌전히 항복해."

처벌은 토벌대…… 나아가서는 피스일리아 왕국 쪽에 맡길 생각이었다. 내 재량으로 그를 어떻게 했다가 한소리 듣기도 싫고.

내 말에 더반은 침묵했다. 오른팔과 왼다리에서 피가 흘러나와 상처 주변을 붉게 물들였다. 가만히 있으면 출혈이 계속되어 움직이기 더 안 좋아진다. 그가 어떻게 나올지 주시하는데…… 이윽고 그가 섬뜩한 미소를 지었다.

"내게는 이제 남은 수가 없다고 생각하나?"

"……더 저항할 건가?"

더반은 대답 대신 태도로 말했다. 그는 갑자기 검을 버렸다.

갑작스러운 행동에 눈썹을 찌푸리자 마력이 한 번 크게 떨리고 나뭇가지가 부러지는 듯한 소리가 들렸다.

변화는 순식간이었다. 내가 반응하는 것보다 빠르게 더반의 두 팔이 칠흑으로 물들었고 등에서 날개가 솟아났다. 얼굴 왼쪽은 마력에 침식되었는지 검게 물들기 시작했다.

"악마……?"

주머니에서 유노가 신음했다. 그렇다. 그야말로 인간이 악마로 변한 것 같은 광경이었다.

"―이제 원래대로 돌아가지는 못하겠지만, 어쩔 수 없군."

더반이 자신에게 말하듯이 중얼거렸다.

"이 힘으로…… 섬멸한다."

더반이 땅을 박차고 내게 달려들었다. 인간을 벗어난 힘을 얻었기에 가능한 움직임이었다. 나를 죽이는 것만을 추구하는 사나운 돌격이었다.

어떻게 해야 하나, 나는 아까와 달리 순식간에 판단하고 받아치기 위해 온몸에 마력을 더했다. 더반은 오른손에 그가 내던진 검 대신 새로운 무기― 칠흑의 대검을 들고 있었다.

거의 동시에 검을 휘둘렀다. 검이 부딪치자 얼굴을 찌푸릴 정도로 새된 쇳소리가 숲속에 퍼지고 불꽃이 튀었다.

더반의 핏발 선 눈이 나를 잡아먹을 듯이 노려봤다. 악마의 힘에 영향을 받고 이성을 잃은 것이 보였다.

그가 울부짖었다. 나를 뭉개버리려고 더 힘을 실었다. 나는 신체를 더 강화했고, 간신히 마력이 드러나지 않는 수준에서 막아냈다!

"루온, 어떡해?!"

유노가 외쳤다. 여기서 결판을 낼 것인지, 다른 수단으로 억누를 것인지 묻는 것 같았다.

그러나 더반은 대답할 시간을 주지 않았다. 밀어붙이기는 무리라고 판단했는지 일단 물러났다. 나는 당장 공격을― 그 순간, 그가 뛰어올랐다.

바닥이 움푹 파일 정도로 힘찬 도약이었다. 갑자기 시야에서 사라졌는데…… 위인가!

하늘 높이 뛰어올랐다고 이해한 나는 얼른 온 길을 되돌아갔다.

"루온?!"

"더반의 목적은 전장이야! 저 힘으로 기사단과 병사들을 먼저 처리할 셈이야!"

전속력으로 달렸다. 사역마에 의하면 드디어 마물의 수가 줄고 토벌대의 승리가 가까워졌다. 더반의 습격으로 승리를 빼앗길지는 모르지만, 내버려 뒀다가는 많은 희생자가 나올 것이 틀림없었다.

시간 내에 갈 수 있을까. 내심 불안했지만, 신체 강화로 더반이 도착하기 전에 간신히 숲을 빠져나왔다. 정면에 있던 커티와 에이나가 동시에 입을 열었다.

"루온 공, 악마는 어떻게 됐나?"

"루온, 더반은ㅡ."

말이 채 끝나기도 전에, 지면에 무언가가 착지하는 소리가 났다. 돌아보니 그곳에는ㅡ.

"……더반……?"

커티의 입에서 갈라진 목소리가 새어 나왔고, 주변 용병과 기사단이 신음했다. 모두 엄청난 모습에 경직된 와중에 내가 외쳤다.

"더반에게서 떨어져!"

더반이 울부짖었다. 그는 오른팔을 더 키워서 거대한 검으로 바꿨다.

그것은 나와 동료들만이 아니라 후방을 휘말리게 할 정도로 거대했다. 나는 당장 마력을 모아 『뒤랑달』을 발동했다!

"모두 피해!"

다시 외치는 사이, 더반이 검을 들고 내리쳤다. 뒤에는 커티와 에이나가 있었다. 그들을 지키기 위해서 무슨 일이 있어도 저 검을 정면에서 막아야 해!

나는 빛의 검으로 맞섰다. 남이 보기에는 가느다란 빛이 거대한 어둠에 맞서려는 광경일 터였다. 모두 나의 죽음을 예감했음이 분명했다.

그러나 이 검은 더반의 마(魔)를 소멸시킬 만한 힘을 가졌다.

검 끝이 어둠에 닿은 순간, 나는 마력을 폭발해 벤 부분을 파괴했다. 낮고 분명치 않은 소리가 메아리치고 어둠의 검 끝부분을 없애는 데 성공했다.

이어서 어둠을 베어 날렸다. 검날 부분이 줄어들어 사정거리가 짧아지자 더반이 나를 뚫어져라 보며 외쳤다.

"—루온 마딘!"

이름을 부르고 명확한 살의와 함께 나를 목표로 정했다. 『뒤랑달』은 아직 발동하고 있었다. 나는 계속해서 칠흑의 검을 날렸다.

더반의 화난 표정을 보고 기회임을 깨달았다. 희생이 나오지 않도록 단번에 결판을 내야 한다!

거리를 좁히기 위해 내달렸다. 더반도 반응해 도망칠지 맞서지 망설였다.

나처럼 판단에 시간이 필요했다. 그러나 나와 그의 큰 차이는 그 망설임을 회복할 수 있느냐다.

바짝 다가가 빛의 검으로 어둠을 막고 오른손의 검으로 찔렀다. 더반이 반응했을 때는 이미 늦었다. 칼날 끝이 가슴에 박히고— 몸을 관통했다.

움찔, 그의 몸이 크게 떨렸다. 이어서 팔을 휘감은 칠흑이 사라져갔다.

"……설마, 고작 인간 하나에게 뒤집힐 줄은……."

더반이 자조적인 말을 흘렸다. 그리고 그의 몸이…… 손끝부터 먼지가 되기 시작했다.

악마의 힘에 침식되어 인간을 버린 자의 말로—. 이내 그의 몸은 소리를 내며 티끌이 되었다.

이겼지만, 이게 시나리오에 어떤 영향을 줄까. 게임에서 그는 이름만 등장했는데…… 변화가 있는지는 마족을 관찰해서 판단해야 하나.

거기까지 생각한 나는 에이나와 커티를 살폈다. 두 사람 다 소멸한 더반이 서 있던 곳을 보며 멍하니 있었다.

"……두 사람—."

전황을 물어보려던 때, 산 쪽에서 환성이 들렸다. 승리의 함성이었다.

"끝났나 봐."

유노가 주머니에서 날아오르며 말했다. 아직 멀리서 왕국군의 후방부대가 마물과 교전 중이었지만, 적의 수가 몹시 적어서 곧 끝날 것 같았다.

토벌 결과, 더반이 정체를 드러냈지만, 아자크는 결국 아무 것도 하지 않았다. 마족에게 붙은 그가 조용히 마물을 퇴치한 것이 너무나 마음에 걸리지만…… 배신자라고 증명할 증거가 없으니 그에게 손을 댈 수는 없었다.

뭐, 머지않아 백작이 있는 성에서 이벤트가 일어날 것이다. 리리샤를 구해야 하기도 하고, 아자크와는 그때 결판을 내겠군.

"……괜찮나?"

에이나가 다가와 물었다. 내가 고개를 끄덕이자 그녀가 감사를 표했다.

"덕분에 살았다. ……성에 있었을 때보다 실력이 더 늘었군."

"별말씀을."

"루온 공이 없었으면 내 목숨도 위험했다. 엄청난 힘을 지닌 적이었어. 자칫 잘못하면 괴멸에 가까운 피해를—."

"이봐! 너 대단한데!"

그때 갑자기 근처에 있던 용병이 나를 칭찬했다. 그것을 계기로 다른 사람들도 내게 다가왔다.

"……아—."

엄청난 힘을 지녔던 더반을 무찔렀다. 당연한 결과지만…… 으음, 좀 유명해졌나? 더반이 아주 정중하게 내 이름을 불렀으니 말이야.

소란 떨기 시작한 용병들에 더해 멀리서 나를 살피는 자유 기사단의 모습이 보였다. 나는 어떻게든 여기서 탈출할 수 없을까 주변을 둘러봤다. ……리엘이 힘내라는 듯이 손을 흔들었다. 그 역시 작전이 끝나 안도한 표정이었다.

한편, 커티의 표정은 어두웠다. 동료인 더반이 저런 결말을 맞았으니 그럴 만도 한데…… 도움이 필요하려나?

아무튼 지금은 용병들을 막아야겠다는 결론에 도달했을 때, 피스일리아 왕국군의 기사가 다가왔다.

"—루온 마딘 공."

갑자기 용병들이 조용해지고 기사에게 길을 열었다.

"죄송합니다. 용병 더반에 대해서…… 무슨 일이 있었는지 설명을 부탁드립니다."

나라에서도 알고 싶은 게 당연했다.

"……알겠습니다."

나는 고개를 끄덕이고 그와 함께 걸었다.

마물 토벌은 완료. 만족스럽지 못한 점도 있지만…… 희생자는 적었다. 작전 자체는 성공했다고 봐도 될 것 같았다.

제15장 기사와 마족

나는 기사를 따라 피스일리아 왕국군을 지휘하던 사람과 대면했다. 내가 악마를 이끌던 더반의 일을 말하자 그가 놀라며 「정보 제공에 감사한다」고 했고 보고는 끝났다.

그리고 뒤처리가 시작됐다. 나를 포함한 용병과 새벽의 자유기사단은 만약을 위해 마물이 나타나도 문제없도록 망을 보라는 말을 들었다.

"어쩔 수 없다니까."

유노가 말했다.

"루온의 손으로 결판을 내는 게 최선이었는걸."

말은 그렇지만…… 나는 머리를 긁적이며 어떻게 해야 하나 생각했다.

내 이름이 유명해지는 건 별문제가 아니었다. 걱정되는 것은 소피아였다.

소피아의 일까지 퍼지면 최악의 경우, 왕녀라는 게 노출될 가능성도…….

"숙제가 생겼네."

"뭐가 숙제인데?"

"마왕을 무찌르려는 이상, 우리가 눈에 띄면 이름이 알려져.

······적어도 소피아는 소문나지 않게 대처할 필요가 있어."

이번에는 소피아 본인이 없어서 어떻게든 됐다고 쳐도······
앞으로 주의해야겠다.

"5대 마족과의 전투에 대비해 정보를 조작할 수 있는 사람
을 찾아야겠어."

"정보 조작?"

"······나쁘게 들리지만, 소피아가 소문나지 않게 움직여줄
사람을 찾자는 거야."

공적인 자리에서 대단한 활약을 하면 눈에 띄는 게 당연하
다. 그럴 때, 소피아만이라도 어떻게든 막아줄 정치적 권력을
가진 사람의 협력이 필요했다. 특히 다양한 나라가 연합하는
5대 마족과의 전투 때 필요했다.

"그런데 협력자에게 소피아의 사정을 설명해야 하니까······.
이게 어려워."

"그건 소피아랑 이야기해보면 되잖아."

유노가 낙관적으로 말했다. 확실히, 나 혼자 생각하고 정해
선 안 되니까.

"루온 공."

그때, 에이나의 목소리가 들렸다. 옆을 보니 그녀가 바른 자
세로 서 있었다.

"다시 한 번 감사를 표한다."

"아니, 난 당연한 일을 했을 뿐이야."

"그런가. ······루온 공, 무례한 부탁일지도 모르지만, 내 말

좀 들어주겠나?"

그녀가 할 말이 무슨 내용인지는 알았지만, 일부러 끼어들지 않고 기다렸다.

"자유기사단으로 활동하면서 한계를 느끼게 됐다. ……왕국 해방이라는 목표는 있지만, 도달하기까지의 거리가 한없이 멀어."

"……응."

"대장과 이야기를 해보고…… 너처럼 강한 사람이 필요하다는 결론에 다다랐다. 만약 괜찮다면 함께 싸워주지 않겠나?"

스카우트다. 소피아와 관련된 사정이 없었으면 나도 좋은 대답을 했을지도 모른다.

"……미안, 내게도 목표가 있어. 제안은 받아들일 수 없어."

"그런가. 아쉽군."

그녀는 물고 늘어지지 않았다. 거절할 줄 알고 말을 꺼낸 모양이었다.

"갑자기 미안했다. ……우리도 필사적이라서 그랬다는 것을 이해해줬으면 좋겠군."

"나야말로 힘을 보태지 못해서 미안해. 또 함께 싸우게 되면 잘 부탁해."

"그래, 물론이다."

우리는 악수했다. 에이나가 보인 미소는 소피아처럼 아름답고 화사했다. 용건은 그것이 끝이었다. 에이나는 기사단으로 돌아갔다.

"······앞으로도 기사단의 동향을 관찰해야겠어."

그렇게 결심하고 발을 내디디는데 누군가가 나를 붙들었다.

"루온 씨."

리엘이었다.

"작전 완료네."

"응. 어찌어찌 해냈어."

"더반은 마족에게 붙었지만, 아자크 백작은 아무것도 없었어. 이쪽은 그냥 소문일 뿐인가?"

계속 사역마로 관찰 중인데, 그는 리리샤와 사병들과 함께 숲속을 거닐며 적이 없는지 확인하고 있었다. 수상한 점이 하나도 없었다.

"마족과의 관련 여부가 어쨌든, 이번에는 그냥 피스일리아 왕국에 빚을 지게 한 걸지도 몰라."

"아하. 어느 쪽이든 그는 이 토벌의 공헌자 중 하나로군."

그 말이 맞았다. 적인 것을 아는 나로서는 몹시 기분 나빴다.

가장 큰 의문은 아자크와 더반은 마족 쪽에 붙은 인간이지만, 두 사람 사이의 관련 여부였다. ······예를 들면 더반은 실행범이고 아자크는 감시하러 온 건가? 아니면 다른 목적이 있나?

"정보도 없고 검증은 무리야. ······마지막으로 일단 인사 정도는 해둘까."

나는 리엘과 함께 백작이 있는 곳으로 향했다. 마침 숲 조사를 마쳤는지 우리를 알아본 아자크 백작이 호쾌하게 말했다.

"오, 루온 마딘 공. 이번 활약, 훌륭했네."

그는 내 이름을 외웠다.

"감사합니다."

"혹시 내 영지에 들르면 섭섭하지 않게 대접하지. 꼭 오게나."

"네."

부드럽게 웃으며 대답하자 백작이 마주 웃고 사병과 함께 자리를 떠났다. 리리샤도 「고마워」라고 감사를 표하고 떠났다.

"……뭐, 리리샤 씨와 만난 덕에 이벤트 일로 이야기하기 쉬워졌으니 잘된 거겠지."

작게 중얼거리며 결론을 정리하는데―.

"―루온 마딘 공."

이번에는 뭐지? 조금 지겨워하며 돌아보니 왕국 기사가 서 있었다.

"당신께 의뢰가 있습니다."

"의뢰?"

"전사 더반에 대해 더 듣고 싶습니다. 그와 관련해 가장 가까운 마을의 대기소까지 동행해주십시오."

나는 리엘과 얼굴을 마주 봤다. 그가 「나는 기다릴게」라고 대답해서 기사의 말에 동의하기로 했다.

"알겠습니다. 음, 시간이 얼마나 걸릴까요?"

"그리 길지 않습니다. 그럼 마을까지 동행을 부탁드립니다."

나는 고개를 끄덕이긴 했지만…… 일이 성가셔질 것 같다는 느낌이 들었다.

결론적으로, 일이 매우 귀찮아졌다.

전황 보고만 한다는 것이었기에 나는 일단 「이름이 오르내리지 않게 해줬으면 좋겠다」고 부탁했지만, 효과가 없었는지, 사람들이 미주알고주알 캐묻고 다닌 건지…… 내게 관심을 보인 인물이 있는 모양이었다.

사후처리와 보수 지급 때문에 용병들은 가장 가까운 마을에서 대기했는데, 왠지 나만 「따라와 주십시오」라는 병사의 말에 다른 마을로 안내받았다.

그곳은― 수도의 왕궁이었다.

"이번 활약을 전해 들었다. 귀공의 분투가 없었다면 큰 타격을 입었을 것이다. 진심으로 감사한다."

"아, 네."

붉은 융단을 깐 옥좌. 몇 단짜리 계단을 끼고 내 눈앞에는 흰 수염을 기른, 그야말로 「전형적」이라고 해도 될 모습의 피스일리아 국왕이 있었다.

관심을 보인 인물은 왕이었다. 나라의 상층부 인물도 내게 관심을 가져 이렇게 알현하게 됐다.

내 감상은…… 어쩌다 이렇게 된 거지?

처음에 무릎을 꿇으려다 왕이 「그럴 필요 없다」고 말려서 서서 대화하는 중이다. 그리고 옆에 있는 유노의 변함없는 인사도 웃으며 받았고 약간의 무례는 불문에 부쳤다.

이건 상당한 대접이지? 내가 큰 공을 세우긴 했지만, 고작 용병에 지나지 않는데 이렇게까지 할 필요가 있나?

"……헌데 루온 공."

"네."

"마딘이라는 성이 조금 낯익군. 루온 공은 마딘 가의 사람인가?"

귀족이었던 것을 조사하고 성으로 불러들였나?

의아하긴 하지만, 대답해야 했다.

"……네, 그렇습니다."

"귀공이 어떤 삶을 살았을지…… 여러모로 생각할 여지가 있으나 나는 귀공 같은 이가 마족의 위협으로부터 많은 이를 구해주어 감사하네."

어, 뭐라고 대답해야 하는 거지?

"분명 우리는, 귀공에게서 많은 것을 빼앗았다. 그런 사건을 겪고도 귀공은 기사와 병사들을 구해주었다. ……우리는 감사하지 않을 수 없어."

솔직히 일개 용병에게 이렇게까지 말하는 이유를 모르겠다. 왜 그러냐고 묻기도 왠지 무섭고, 그냥 가슴속에 담아두어야―.

"왜 그렇게까지 해?"

그런데 유노가 추궁했다. 야, 야! 유노!

내심 놀라 당황했지만, 왕은 기분이 상하지 않았는지― 아니, 쓴웃음을 지었다.

"……마왕 습격이라는 사태는, 당연히 우리도 처음 겪는 일이다. 하여 가능한 한 이 성을 완벽하게 방어하고 싶다."

"응."

"그러던 중, 루온 공이 나타났지. ……이런 대우에 당황한 듯한데, 루온 공 같은 이가 그만큼 귀중한 것이라 이해하면 된다네."

국왕이 부드러운 표정을 지어 보였다.

"루온 공이 나라 방비에 협력해주길 바라네. 그 대가로 공적에 걸맞은 신분과 대우를 마련하지."

두근, 심장이 크게 뛰었다. 다만, 이것은 이 세계에 있던 본래의 루온의 심경을 나타낸 것이었다.

마음만 먹으면 부모님을 다시 귀족으로…… 그리고 옛날처럼 저택에서 살게 될 수 있을지도 모른다. 이런 부탁이 대가와 균형이 맞는지 의문스럽긴 하지만, 그래도 지금의 왕이라면 괜찮을 것 같았다.

그러나—.

"……이와 같은 환대, 대단히 황송하고 영광입니다."

나는 머릿속으로 열심히 말을 정리하며 입을 열었다.

"하오나 제 여행 자체의 목적이 있어서…… 고향에 발을 붙일 수 없습니다."

"……그러한가."

내 거절에 왕이 조금 아쉬워하며 대답했다.

"아니, 나도 강제하는 것은 아니다. 귀하의 여행에 무운이 따르길 바라네."

"네. 감사합니다."

"허나 아무것도 하지 않는 것은 내키지 않는군. 여행에 필요한 것이 있으면 준비하겠다."

어떡하지…… 아, 그래.

"만약, 괜찮으시다면."

"무엇이든 말하게."

"물건은 아니옵고…… 제 고향에 관한 것입니다."

내 말에 왕이 시선을 맞추고 기다렸다.

"마물 토벌로 제 이름이 조금 알려진 모양입니다. 마족이 제 고향을 노릴 가능성이 있습니다."

"음, 그렇군."

"만약 무언가를 해주신다면 고향에 이변이 생겼을 때 도와주셨으면 합니다."

"그것은 나의 의무다. 걱정은 필요치 않아."

국왕이 깊이 고개를 끄덕였다.

"걱정하는 게 당연하다. 귀공의 부탁을 들어주겠다."

"감사합니다."

나는 머리를 숙였다. 그리고 알현실을 나와 크게 숨을 내쉬었다.

"끝났다……."

"더 요구하지 그랬어."

유노가 지적했다. 목소리가 왕궁 복도에 울려서 나는 「조금만 더 작게」라고 타일렀다.

"저 자리에서 이것저것 요구하면 폐하는 이해해도 다른 사람들은 어떻게 생각할지 모르잖아?"

"그럴까?"

유노는 불만스러운 듯했지만, 내게는 충분한 성과였다.

"자, 할 일도 했으니 일트리아로 돌아가자."

고향을 떠난 지 이래저래 열흘 정도 지났다. 오늘도 벌써 오후가 지나 이동할 수 없으니 돌아가기까지 며칠은 걸리리라.

나는 성을 나와 수도까지 따라온 리엘이 집합 장소로 고른 술집으로 향했다. 그곳은 대로에 있는 점포였다. 분위기가 좋았다. 병사들이 사복을 입고 담소를 나누는 광경도 보였다.

"오, 루온 씨."

가게로 들어가자 리엘이 손을 흔들었다. 내가 다가가니 같은 테이블에 한 사람이 더 있었다.

"안녕, 루온."

"커티? 어쩐 일이야?"

더반의 동료였던 커티가 리엘과 마주 앉아있었다. 잔에는 술이 아니라 오렌지 주스 같은 게 담겨 있었다.

내가 리엘의 옆에 앉자 커티가 먼저 입을 열었다.

"할 이야기가 있어서."

"……동료로 넣어달라고?"

"루온에게도 사정이 있는 모양이니 그런 요구는 안 해. 그냥 동료를 찾을 수 있을 만한 곳까지 같이 가고 싶어서."

커티가 뺨을 긁적이며 말했다. ……그녀는 더반의 전말을 직접 목격하고 풀이 죽었다. 당연히 충격받았을 것이다. 게다가 나도 기사와 엮이는 바람에 말을 걸지 못해 마음에 걸렸는데,

이런 상태라면 딛고 일어난 거겠지?

"나는 별로 상관없는데…… 리엘은 어때?"

"나도 루온 씨의 정식 동료는 아니니까 루온 씨가 괜찮다면야 상관없어."

정말 기묘한 멤버로구만. 정식 동료도 아닌데 이렇게 같은 테이블에 둘러앉았다.

"그런데 루온, 성에 갔었다며?"

"감사 인사를 하고 싶다더라고. 마물 토벌로 평가가 오른 모양이야."

"그거야 그렇게 활약을 했으니 당연하지."

커티가 기막혀하며 말했다.

"더반을 단독으로 물리치기만 했으면 모를까, 마물이 땅속에서 나타나자 적확한 지시로 전선 유지에 공헌했어. 예상도 못 한 일이 일어났는데 이렇게까지 무사하게 끝난 건 루온 덕분이니까."

……사실은 리엘의 정보도 있었기에 나온 결과였다. 슬쩍 리엘을 보니 그가 어깨를 으쓱했다. 말하지 않았나?

"루온의 여행에 관해 꼬치꼬치 캐묻지 않을 테니까 괜찮지? 부탁해."

커티가 두 손을 모으며 부탁했다. 그녀는 내가 지닌 힘 일부를 아는 사람이라 함께해도 문제는 없었다. 음, 괜찮겠지.

"알았어, 좋아. 그런데 일단 동료…… 종자랑 말해봐야 돼."

"응, 잘 부탁해.

"잘 부탁해, 커티 씨."

유노의 말에 그녀가 미소로 답했다.

"아, 참, 루온 씨."

그때 리엘이 화제를 바꿨다.

"실은 내가 의지하는 사람이 여기로 오기로 했어."

"응? 여기에?"

"응. 루온 씨에게 관심이 있나 봐."

……내 소문이 어떻게 났는지는 몰라도 토벌 일을 듣고 관심을 보인 것은 사실인 듯했다.

만약 믿을 만한 사람이면 이것저것 부탁할 수 있을 텐데…… 조금 타산적으로 머리를 굴리는데 리엘이 내 뒤로 눈길을 줬다.

"왔다."

호랑이도 제 말 하면 온다고 했나. 절그럭대는 갑옷 소리가 곧장 우리 쪽으로 왔다.

나는 뒤를 돌아보고 상대를 확인했다.

"리엘 공, 무사해서 다행이네. ……귀공이 바로 그 인물인가?"

눈앞에는 은백색 갑옷을 입은, 2미터는 될 정도로 체격이 큰 중갑 기사가 있었다.

나는 말을 잃고 고개만 끄덕였고…… 아니, 잠깐만!

"잠깐, 리엘."

"응, 왜?"

"이, 이 사람이야?"

"맞아. 발자드 아가스톨 씨."

"잘 부탁해."

그는 활짝 웃었다. 나는 그를 뚫어져라 쳐다봤다.

나이는 마흔 살 전후. 살짝 주름지고 인상이 진한 외모에 검은 머리카락. 호방하다는 말을 빚어 만든 것 같은 양반이었다. 허리에 검을 찼지만, 전투용 도끼를 짊어지는 편이 더 어울릴 듯했다.

내가 말을 잃은 이유는 두 가지다. 첫 번째는 그가 게임에서 동료가 되는 기사라는 것. 그것도 평범한 동료가 아니었다. 시스템적으로 우대받아서 강한 『삼강(三强)』 중 하나였다.

그리고 다른 이유는—.

"……리엘, 피스일리아 왕국에 사는 사람 중에는 이 사람을 모르는 사람이 없어."

"응? 그래?"

"리엘 공은 먼 나라 출신이고 이 나라 사정에 별 관심이 없어서 모르는 게 당연해."

발자드가 하하핫 하고 웃었다. 나는 쓴웃음밖에 안 나왔다.

이 사람은 기사이지만, 남작이기도 해서 영토도 보유했다. 그의 무용은 인근 나라에서도 유명하고 루온도 어릴 적부터 이름을 알았다.

뭐, 이 사람이라면 리엘이 고른 것도 이해가 됐다. 게임 내 『삼강』의 능력을 그대로 보유하고 있다면 강할 것이 분명하고 배신하지도 않았다.

나는 문득 이 사람이라면 사정을 말할 수 있지 않을까 싶었다. 게임에서 동료가 되는 인물이라는 믿음도 있고, 내가 피스일리아 왕국에 쌓은 신뢰가 있었다. 마물 토벌에서 이것저것 했으니 부탁을 들어줄지도 몰랐다.

발자드는 내가 고민하는 동안 커티의 옆자리에 털썩 앉았다. 의자가 삐걱거려서 부서지지 않을까 불안했다.

"우선 토벌에 협력해준 것에 감사한다."

발자드가 우선 우리에게 감사를 표했다.

"그리고 루온 공, 여행 목적은 마족을 무찌르기 위해……강해지기 위해서인가 보군."

"네, 동료와 함께요."

"그런가. 오늘 폐하를 알현했을 텐데, 폐하께서 사관(士官) 말씀은 하지 않으셨나?"

그의 말에 커티와 리엘의 눈이 휘둥그레졌다. 설마 그렇게까지, 라는 반응이었다.

"……권유는 받았지만, 지금은 해야 할 일이 있어서 정중하게 거절했습니다."

"그랬나, 정말 아쉽군."

동료가 되라고 설득할 줄 알았으나 발자드는 깨끗하게 물러났다. 국왕이 말해도 통하지 않았으니 자기가 무슨 말을 해도 의미가 없다고 판단한 건가?

"그럼 이제 나라를 떠날 건가?"

발자드의 물음에 의문이 스쳤다.

국왕이 내게 후하게 대한 것도 그렇고, 눈앞에 있는 그도 아주 조금 붙잡으려는 기색을 보였다. 그때, 5대 마족과의 전투에 생각이 미쳤다. 그 전투 중 하나는 여러 나라가 관여하는데……

"……그럴 생각입니다."

나는 말을 고르며 그에게 대답했다.

"마족과 큰 전투가 있으면 이야기가 달라지지만요."

발자드가 움찔 반응했다. 만약 리엘이 나에게 사정을 털어놓은 사실을 알고 있다면, 무슨 뜻인지 전해졌을 터다.

"그런가…… 흠."

그는 입가에 손을 대고 생각에 잠겼다. 그 시선 끝에는 커티가 있었다.

커티가 있어서 자세히 말할 수 없다는 건가? 의아해하는 와중에 커티가 그 분위기를 알아차린 모양이었다.

"아, 혹시 불편하면 자리를 피해드리죠."

"아니, 그런 게 아니네. 귀찮은 일 이야기를 하려고 했거든. 혹시 자네가 괜찮다면 말하지."

"……이야기를 들으면 강제 참가인가요?"

"미안하지만, 그렇게 되지. 게다가 이번에는, 마족이다."

커티는 생각에 잠겼다. 그동안 나는 리엘에게 시선을 보냈다.

내가 리엘의 정체를 아는 것을 발자드가 아느냐고 눈으로 묻자 그가 고개를 끄덕였다.

"……그래요. 제게도 생각이 있으니 협력하겠습니다."

"고맙네."

발자드가 의자에 고쳐 앉았다.

"실은 주변 나라와 연합해서 거점을 이룬 마족을 무찌르기로 했다."

그것은 5대 마족 베르나 토벌 이벤트였다. 5대 마족 중 유일한 여성형 마족이며 주변 각국의 국경 부근에 거대한 성을 지었다. 따라서 연합군을 만들어 토벌하기로 한 것이다.

"솔직히 말하면 마물 토벌은 마족 토벌의 연습이기도 했다. 배신자가 있어서 위험한 상황에 빠졌었지만 말이지."

흐음, 그런 의미였구나. 그래서 제법 기합이 들어갔었나.

"나라에서는 루온 공이 도와주길 바랐는지도 모르겠군."

후한 대우에는 그런 이유도 있었으리라.

"루온 공은 마족 토벌 참가에 호의적이니…… 참가하겠나?"

"좋습니다만, 한 가지 조건이 있습니다."

여기부터다. 마음속으로 중얼거렸다.

"저는 이름이 알려지는 건 상관없지만, 이러저러한 이유로 눈에 띄고 싶지는 않습니다."

"모순되게 들리는데."

"동료의 일로, 이래저래…… 예를 들자면―."

나는 유노를 가리켰다.

"유노와 관련해서도 그렇습니다."

상대가 이해할 만한 이유를 설명하기 위해 유노를 끌어들였는데…… 당사자인 천사가 열심히 고개를 끄덕였다. 갑자기 도마 위에 올라 당황할 줄 알았는데 말을 맞춰줬다.

"얼핏 보면 정령 같지만…… 천사인 유노가 목적에 따라 마족에게 노려질 가능성도 부정할 수 없어요."

"과거에 그런 일이 있었나?"

……실제로는 한 번도 없었지만, 그렇게 생각하면 편하니 일단은 긍정하자.

"그리고 이 자리에 없는 동료도 그렇습니다. 자세히 말할 수는 없지만, 마왕 침공으로 나라를 빼앗긴 몸입니다. 제 이름이 퍼지는 건 괜찮지만, 동료까지 알려지면 여행에 지장이 생겨요."

나는 말을 골랐다.

"예를 들어, 그래요. ……새벽의 자유기사단은 여러 나라의 혼성부대잖아요? 그들과 마주치면 위험할 수 있습니다."

"그렇군, 알겠다."

발자드는 이해한 듯했다.

"인간 쪽도 결속이 굳건하지 않아. 루온 공의 동료를 포함해 복잡한 사정을 가진 사람이 많아졌다. 걱정하는 것도 이해가 돼. 루온 공의 힘을 빌리는 조건이니 할 수 있는 최선을 다하지."

"감사합니다."

나는 감사를 표했다. 이리하여 발자드에게 협력하기로 했다.

리엘이 가진 정보를 커티에게 말하느냐 마느냐는 결론적으로 그에게 맡겼다. 커티는 자발적으로 이야기할 때까지 기다릴 생각인지 묻지 않았다.

각자 속셈이 있는 것 같아서 미묘하지만…… 마족과 싸운다는 점에서는 일치했다. 일단 이걸로 된 것으로 치자.

그 후, 우리는 고향으로 돌아가기 위해 다음 날부터 여행을 떠났다. 이동 수단은 마차. 발자드가 준비해준 덕분에 예상보다 빠르게 고향으로 돌아왔다.

"이곳에 동료가 있어?"

커티가 마차에서 내리며 물었다.

"응. 내 스승님이 돌봐주고 계셔."

"그래? ……실력은?"

"수행이 순조로웠다면 믿음직한 전력이 될 거야."

"루온 공이 보장한다니 기대하지."

발자드가 기대를 담아 웃었다. 윽, 괜히 허들을 올렸나?

거리를 걸으니 곧장 나를 불러 세우는 소리가 들렸다.

"야, 루온! 이야기 들었다! 공을 세웠네!"

……벌써 소문난 모양이다.

내가 「네」라고 대답하자 마을 사람들이 계속 다가왔다. 발자드와 함께 돌아온 것도 여기에 박차를 가했다.

"남작님?! 왜 여기에?!"

"루온 공과 일을 하게 되었네."

마을 사람들이 「오오오!」 하며 술렁거렸다. 사정상 어쩔 수 없다지만, 소문이 나게 생겼다.

리엘과 커티는 그런 광경을 보고 웃었고, 유노는 당황하는 나를 보고 폭소했다. 나중에 두고 보자.

　도통 앞으로 나아가지 못했다. 어떡하나 고민하던 중 사라를 발견했다.

　"아, 야! 사라!"

　황급히 손을 흔들자 사라가 다가왔다. 마을 주민들도 알아차리고 좌우로 나뉘어 길을 열었다.

　"안녕, 영웅님."

　"……너까지."

　"욕하는 것도 아닌데 좋지, 뭐. 아무튼 무사히 돌아와서 다행이야, 다행."

　사라가 어깨를 치며 말했다.

　"일레이 씨는 우리 제자 실력이 어떠냐면서 상인한테 루온 이야기를 해서 술 받아 마시고 있어."

　"……그 사람은 그럴 거라 예상했으니까 넘어가자. 그런데 소피아는?"

　"루온네 집에 있지 않을까?"

　"수행은 끝났어?"

　내 물음에 사라가 얼버무리듯이 웃었다.

　"왜 그래?"

　"아니, 아무것도 아니야."

　불안하다……. 일단 돌아가자.

　사라와 함께 우리는 집으로 향했다. 생각해보니 인원이 많아졌는데…… 뭐, 소피아는 발자드나 커티와 안면을 터야 하니까 얼른 끝내면 되겠지.

그렇게 본가에 도착했다. 안으로 들어가니 주방에서는 소리가 나고 거실에는 사람이 없었다.

"시간을 보니 아버지는 일하러 가셨나?"

그렇게 중얼거리며 주방으로 갔다. 아마 어머니이실 테니 소피아는 위층에 있나?

그때, 우리가 온 것을 알아차렸는지 주방에서 들리던 소리가 멎고— 소피아가 나타났다.

"아, 어서 오세요, 루온 님."

소피아를 보고 나는 눈을 크게 떴다.

"왜 그러시죠?"

"……소피아."

"네."

"왜 앞치마를 두르고 있어?"

말하고 보니 소피아는 양손에 주방 장갑을 끼고 있었다.

"아, 그게, 루온 님."

"응."

"……사과 파이를 구웠는데, 드시겠습니까?"

나는 대답하지 않고 사라를 봤다. 사라가 얼른 눈을 피했다. 잠깐만, 내가 떠나있던 동안 무슨 일이 일어난 거야?

"……그런데 뒤에 계신 분들은?"

소피아의 물음에 나는 이성을 되찾았다. 위험해, 본론에서 벗어날 뻔했다. 소개를 위해 입을 여는데 커티가 먼저 말을 꺼냈다.

"안녕, 루온과 안면이 있고 함께 마물을 토벌한 커티 이테트야."

"소피아 라톨입니다. 루온 님의 종자입니다."

소피아가 장갑을 벗고 커티와 악수했다. 커티는 사촌인 에이나와 부리더로 만난 적이 있어서 괜찮을까 걱정했는데 앞치마와 부드러운 미소 때문에 모르는 모습이었다. 음, 문제는 없을 것 같다.

"냄새가 좋군."

발자드가 코를 움직이며 말했다.

"나는 발자드 아가스톨. 이 나라의 기사다."

"들어봤습니다. 토벌 때, 루온 님과 알게 되셨습니까?"

"아니, 리엘 공과 협력하는 자라고 말하면 알겠나? 이번에는 일 이야기를 하러 왔네."

소피아가 바로 이해했는지 고개를 끄덕였다.

"그랬군요. ……여러분도 드시겠습니까?"

"소피아, 부모님은?"

"일이 있어서 외출하셨습니다. 저녁에 돌아오시지 않을까요."

그때, 주방에서 갑자기 정령 레핀이 날아왔다.

"소피아, 이제 오븐에서 꺼내야 해."

"아, 네. 루온 님, 잠시만 기다려주세요."

그녀는 미소를 남기고 주방으로 사라졌다. ……질문 시간이다.

"사라, 설명해줘."

"아, 아니, 그게…… 처음에는 검술 지도가 주였는데……."

사라가 난처한 얼굴로 말했다.

"짬짬이 요리도 배우기 시작하더라고…… 검은 시작한 지 닷새 만에 가르칠 게 없어져서…… 마법사 스승님 밑에서 공부하다가 사흘째가 되니까 가르칠 게 없다고 하셔서, 할 일이 없어서 요리 외 가사가 수행의 메인으로……."

"……왜 그렇게 된 거야?"

"루온에게 도움이 되고 싶다면서 스스로 시작했어."

사라가 쓴웃음을 지었다. 그 모습을 보니 사정이 얼추 짐작 됐다. 마물 토벌 전에 있었던 말썽 때문이겠지.

"사라, 소피아에게 이런 일이 종자로서 도움이 된다고 부추 겼지?"

사라가 휘파람을 불었다. 정곡을 찔렀나 보다.

"종자가 대견도 하지."

커티가 내게 감탄한 시선을 보냈다.

"좋은 사람이네. 어디서 데려왔어?"

"……사정이 있어."

"그것도 여러 사정이 있겠지. ……뭐, 루온을 절대적으로 신 뢰하는 게 한눈에 보이더라."

커티가 단정하고 내게 삿대질했다.

"그거지? 여행하며 서로 신뢰를 쌓는데…… 그녀는 귀족 영애 이거나 전통 있는 명가 출신…… 루온과 다른 세상에서 살지. 종자로서 도움이 되고 싶지만, 연애감정은 없다고 우겨대는……

대충 그런 느낌?"

"커티 씨, 이때까지 우리를 감시한 거야?"

유노가 물어볼 정도로 정확했다. 커티는 그 반응에 웃어보였다.

"맞췄어? 추측 반, 감 반이야. 수행을 시작했을 때는 검과 마법 외에도 할 수 있는 게 없을까 생각하다가…… 요리를 배웠지?"

"맞아, 맞아."

사라가 동조하자 나는 한숨을 내쉬었다. 소피아가 원해서 했다면 불만은 없지만…….

"오래 기다리셨습니다."

그때, 소피아가 나타났다. 가게에서 팔 것 같은 무척 예쁜 사과 파이를 가지고 왔다.

그리고 차도 준비했다. 의자가 부족한 것을 보고 거실 구석에 있는 작업용 의자와 작은 테이블을 가져와 4인용 테이블 앞에 뒀다. 그리고 자리에 앉아 티타임을 가졌다. 일단은 한 입—.

"오오!"

먼저 먹은 유노가 흥분해서 소리를 질렀다. 입에 넣은 순간, 사과 향이 입에서 코로 빠져나왔다. 그리우면서도 신선한 맛이었다.

가만히 맛을 보는데 긴장한 표정으로 나를 바라보는 소피아와 눈이 마주쳤다. 감상을 듣고 싶은가 본데…… 일단 삼켰다.

"이거, 어머니한테 배웠어?"

"네. 저기, 루온 님이 좋아하는 음식이라고 하셔서……."

"응, 맞아. ……맛있어."

내 대답에 소피아가 해맑은 미소를 지었다.

"감사합니다!"

살짝 빨개진 얼굴 위로 떠오른 천진난만한 표정에 가슴이 약간 두근거렸다. 일행이 이 광경을 뜨뜻미지근한 눈으로 지켜봤다. ……아니, 저기요.

이, 일단 일 이야기를 해야……라는 생각이 들었을 때, 사라를 봤다. 그러고 보니 사라는 관련 없는 사람이었다.

"왜?"

"어, 그게……."

"아, 일 이야기를 한댔지. 좋아, 비켜줄게. 아, 소피아 씨. 저녁 먹으러 올 테니까 잘 부탁해."

"네, 기다리겠습니다."

……아니, 잠깐만. 저녁도 만든다고?!

사라는 내가 속으로 경악을 하든 말든 집을 떠났다. ……지친다.

"흠, 그럼 본론으로 들어갈까."

발자드의 말에 모두 손을 멈추고 집중했다.

발자드의 설명이 시작됐다. 5대 마족 베르나 토벌에 그와 기사단이 참전한다. 우리는 지원을 맡아주길 바란다는 것이 의뢰 내용이었다.

이 전투는 대륙 남동부에 자리 잡은 대국 로자이어 왕국이 맹주가 되어 공격한다. 게임에서 주인공은 공격에 참가해 성으로 들어가 베르나를 무찌른다.

베르나전(戰)에서 가장 주의할 점은 마법 『카오틱 씰』이다. 마족 전용 마법으로 게임에서는 모든 능력을 낮추는 효과가 있어서 나도 꽤 고생했다.

능력 계열 마법을 해제하는 『디스펠 매직』만 있으면 문제없지만, 이 마법은 습득이 어려워서 배우지 않고 뛰어드는 케이스도 많다. 이것이 있고 없고의 차이가 커서 이 마법을 쓰지 않은 플레이어 중에는 5대 마족 중 베르나가 가장 어렵다고 단언하는 사람도 있었다.

하지만 『카오틱 씰』을 막았다고 해서 다 이긴 것도 아니다. 베르나는 게임에서도 아군의 위치와 움직임에 따라 공격 패턴을 바꿨다. 현실에서는 선택할 전술의 폭이 더 넓을 터였다. 능수능란하게 싸울 수 있는 마족이니 레드라스와 다른 식으로 힘들 것 같았다.

갑자기 의문이 생겼다. 5대 마족 레드라스와 싸우고 시간이 얼마 지나지 않았다. 베르나의 레벨이 낮을까, 높을까.

5대 마족 하나를 잡으면 남은 마족들이 강해졌는데…… 이건 잡몹을 잡아보고 판단해야 하나……. 혹시나 어려운 적이 나오면 대책을 생각해야겠다.

"전투는 언제 개시합니까?"

소피아의 물음에 발자드가 살짝 얼굴을 찌푸리고 대답했다.

"머지않아. 나는 이제 영지로 돌아가 준비해야 한다."

"나는 따라갈게."

리엘이 이어서 말했다. 원래 발자드에게 돌아가려고 했으니 당연한 일이었다.

"루온 공은 어쩔 건가?"

"……영지로 돌아가서 준비가 되는 대로 전장으로 가십니까?"

"그렇지."

나는 소피아와 눈빛을 주고받았다. 소피아가 살짝 고개를 끄덕였다.

"알겠습니다. 우리도 동행하죠."

"그럼 나도 따라가야지."

커티도 찬성— 모두 의사 결정을 하고 협의를 마쳤다.

그 후, 발자드와 리엘은 숙소로 갔고 커티는 부모님의 권유에 우리 집에 남았다. 저녁 자리에는 일레이와 사라도 참여했다.

"어떻습니까? 커티 씨."

"음~ 맛있어. ……저기, 이거 정말로 수행하면서 짬짬이 배운 거야?"

"네. 사실 처음에는 식칼 잡는 법도 잘 몰랐습니다만……."

"그랬는데 이 정도까지? 대단하다는 말밖에 안 나와."

커티가 포크를 움직이며 놀랐다.

식탁에 오른 요리들은 어머니가 만든 것처럼 보였지만, 사실은 전부 소피아의 요리였다. 솔직히 내가 먹어도 모를 수준이었다.

요리를 얼마나 배웠는지는 몰라도 한 가지 확실하게 말할 수 있는 게 있었다. 그녀의 성장 능력이 요리에도 발휘됐다. 아니, 요란하게 말할 일이 아닌가?

"루온 님, 왜 그러십니까?"

"아, 응. 맛있어."

"다행이에요."

티 없는 미소에 나는 마주 웃을 뿐이었다.

절대로 소피아의 행동을 부정하려는 것은 아니지만…… 뭐라고 할까, 내게 보답하려고 그러는 건 알지만, 이렇게까지 해줘서 미안하다고 해야 하나.

그리고 문제가 있었다. 나와 일레이가 나란히 앉고, 맞은편에는 소피아가 있었다. 그것도 오른쪽에 커티, 왼쪽에 사라를 끼고 앉았다.

유노는 소피아의 맞은편에 앉았고 어머니는 방에서 나오지 않았다. 아버지는 마을 일로 늦게까지 돌아오지 않을 예정이었다.

즉, 남자는 나 하나…… 주눅이 들었다.

"그런데 소피아 씨."

금방 친해진 커티가 말문을 열었다. ……몹시 귀찮아질 예감이 들었지만, 혼자 있는 남자가 끼어들 분위기가 아니었다.

"소피아 씨는 귀족 같아 보이는데…… 부모님은 괜찮으셔?"

"다행히 난을 피하셨습니다."

"그렇구나, 다행이야. 그리고 어, 예를 들어 약혼자는?"

소피아가 어리둥절해 했다.

"……약혼자?"

"귀족 아가씨니까 약혼자쯤은 있지 않아?"

"제 나이에 약혼하는 경우가 있긴 하지만, 저는 없습니다. 아마 검을 휘두르는 사람이라 경원시 됐는지도 모르겠네요."

소피아가 잘 얼버무렸다. 허점이 없었다. 역시 소피아다.

그런데 이때, 사라가 의심의 눈길을 보냈다.

"뭐? 소피아 씨 같은 미인은 여기저기서 혼담이 들어왔을 것 같은데?"

"아뇨, 저는……."

"커티 씨, 소피아 씨는 계속 이렇게 겸손해한다?"

"좀 더 본인에게 자신감을 가져."

"아뇨, 그게…… 저는 아직 멀었습니다."

소피아는 끝까지 겸허했다. 그런 태도에 일레이가 눈을 가늘게 떴다. ……뭐가 신경 쓰이나?

내가 의아해하는 동안에도 대화는 이어졌다. 유노가 이어서 말을 꺼냈다.

"사라 씨는 어때?"

"응? 약혼자? 그런 신분이 아니야. 커티 씨는 어때?"

"아쉽게도 마법사에 마물과 싸우는 여자를 돌아보는 남정네는 없더라고. 나는 편해서 좋지만."

"커티 씨는 남자가 없을 것 같아. 미인이고 예쁜데."

"칭찬으로 들을게."

웃으며 말한 커티가 수프를 한 입 떠먹었다.

"사라 씨는 마음에 둔 사람 없어?"

……솔직히 자리를 떠야 하나 망설여졌다. 나 여기 있어도 되는 거야?

"아~ 없어."

"좋아하는 타입은?"

"글쎄, 예를 들면―."

사라가 왜인지 나를 봤다.

"루온 같지 않게 더 남자다운 사람이 좋아."

"남자답지 못해서 미안하네."

"아이고, 별말씀을. ……커티 씨는?"

"나? 음, 뚜렷한 취향은 없지만…… 밝고 재미있는 사람이 좋아."

"루온처럼 어두운 사람은 안 되겠네."

"일일이 나를 가져다 대지 마……. 그리고 난 어둡지 않아."

내가 빵을 뜯어 먹으며 말하자 사라와 커티가 웃었다. 그리고 동시에 소피아 쪽으로 고개를 돌렸다.

""소피아 씨는?""

멋지게 합창했다. ……너희들, 소피아한테 물어보려고 일부러 말 꺼낸 거지?

"네? 저요?"

"나도 관심 있어."

유노가 거들었다. ……나와 일레이를 제외한 모두가 소피아를 시선으로 압박했다.

그 모습이 어쩐지 먹이를 노리는 짐승 같았다……. 소피아도 여기까지 오자 위험하다고 깨달았는지 순간적으로 굳은 표정을 지었다.

"그, 글쎄요. ……다정한 분이 좋습니다."

"루온처럼?"

우와— 지금이라는 듯이 유노가 말했다. 평화로운 저녁 자리가 갑자기 살기가 감도는 전장으로 뒤바뀌었다.

"저, 저기, 유노. 루온 님과 묶지 말아 주시겠습니까?"

"왜?"

"아뇨, 루온 님도 불편하실 테고……."

"예전에는 부정했지만, 수상하다니까."

사라가 씨익 웃었다. ……이거 정말 내가 있어도 되는 자리야? 내심 불안해하며 추이를 지켜보고 있으니 커티가 이어서 말했다.

"예사롭지 않은 신뢰 관계에, 종자 역할을 다하려는 건 이해가 가. 그런데 요리까지 배우다니…… 보통 그렇게까지는 안 해."

웃고 있지만, 눈은 맹금류와 같았다. 무섭다.

아무튼, 너희는 소피아 입에서 내 이야기가 나오게 하려는 거지……? 침묵하고 있으니 소피아가 마지못해 말했다.

"시간이 있어서 루온 님의 어머님께 여러모로 부탁드린 것뿐입니다. ……다른 뜻은 없어요."

"정말로?"

"정말입니다."

"그럼 내가 루온을 꼬셔서 단둘이 사라져도 불만 없다는 거지?"

폭탄이 떨어졌다. 커티의 입꼬리가 올라간 것을 보니 노린 게 분명했다.

그러나 소피아는 농담으로 받아들이지 못했는지…… 굳었잖아?

내심 어떻게 생각하나 하던 중…… 갑자기 소피아가 나를 봤다. 어떻게 대응해야 좋을지 몰라서 손을 멈추고 그저 눈만 바라봤다.

"……진지한 거 봐."

커티는 쉽게 물러났다.

"농담이야, 농담. 소피아 씨, 동요하느니 그냥 솔직하게 말하지?"

"……저는, 아무 말도 안 했습니다만."

토라진 말투에 커티가 웃었다. 소피아는 어딘지 불편한 표정이었다.

그거구만. 나에 대한 감정이 뻔히 보이고, 뭐든 진지하게 받아들이는 성격이 화가 됐어……. 갑자기 일레이가 내게 눈짓했다. 자연스럽게 자리에서 일어나 밖으로 손짓했다.

나는 의아해하며 그녀를 따라 밖으로 나갔다.

"왜 그러세요?"

"조언 하나 해주려고."

밤하늘 아래에서 말하는 스승님의 눈이 험악했다.

"사라가 말했을지도 모르겠다만, 소피아의 훈련 자체는 빨리 끝났다. ……기초적인 부분은 내가 지도할 필요도 없고, 기술과 마법 지식도 풍부해서 덤으로 요리를 배울 정도로 재주가 좋은데 나 보고 뭘 더 어쩌라는 거냐!"

"목 조르지 마세요……."

목을 세게 붙잡혀서 끙끙대며 말했다.

"소피아가 스스로 아직 멀었다고 생각했는걸요……."

"소피아에게 부족한 것은 경험이야. 그것만 채우면 기술이든 마법이든 쑥쑥 체득할 거다."

단언한 일레이가 손을 떼고 설명했다.

"지식이 있다는 전제다만…… 내가 지도하면서 봐온 바, 사람이 크게 성장하는 데는 두 가지 패턴이 있다. 하나는 시행착오를 되풀이하며 천천히 기술과 마법을 체득하는 패턴. 다른 하나는 아수라장을 거쳐서 배우는 실천형 패턴이다."

"저는 전자가 명백하네요. 소피아는 후자라는 말씀이시죠?"

"그래. 그것도 뛰어난 인재다. 소질만 따지면 내 제자 중에 제일이야."

그렇게까지 평가할 줄이야……. 현자의 핏줄인 것과 관련이 있을지도 모르겠다.

그럼 여행하면서 습득할 수 있으니 괜찮았다. 그러나 일레이의 말은 끝이 아니었다.

"소피아는 아무래도 너에게 은의(恩義)를 느끼고 보답하려는 모양이다. 무슨 짓을 했는지는 모르겠다만…… 뭐, 네 작업이 잘 통했다고 치자."

"……저기요."

"알아, 농담이다. 마음가짐은 좋다고 해도, 그 생각 때문에 급하게 행동할 위험성이 있다고 충고하마."

……소피아는 리엘에게 마왕을 무찌를 존재라는 말을 듣고 강해지기로 했다. 예전에는 막연한 불안을 느꼈지만, 불안을 떨쳐낸 만큼 적극적으로 행동하게 됐는지도 모르겠군.

"내가 할 수 있는 것은 거의 다 했다. 그 결과가 다음 전투에 드러나겠지……. 루온, 강해진 후에는 힘을 시험해보고 싶어지기 마련이다. 무리하지 않게 신경 써라."

"알겠습니다."

나는 고개를 끄덕였고 일레이는…… 팔짱을 끼며 말을 계속했다.

"하나 더, 소피아를 좀 더 칭찬해줘라."

"칭찬이요?"

"소피아는 무척 겸손해서 아무리 칭찬해도 아직 멀었다고 대답하는 아이야. 그건 그거대로 좋지만, 강해질 의욕을 키우려면 좀 더 칭찬해줬으면 좋겠군. 너 그런 거 안 했지?"

……듣고 보니, 없네.

"소피아는 루온의 지도에 불만이 없는 모양이지만, 마음 써주는 게 좋아."

"알겠습니다. 참고하겠습니다."

내 대답에 일레이가 만족스러운 표정을 지었다.

"같이 지내보며 알았어. 소피아는 무척 순수하고, 사람들을 구하기 위해 검을 들었다. ······버팀목이 되어줘라."

"물론이죠."

일레이가 「힘내라」 하고 등을 쳤고 우리는 집으로 돌아갔다.

다음 날, 우리는 마을을 떠나 아무 일 없이 발자드의 영지에 있는 저택에 도착했다.

미리 전달해놨는지 발자드가 소유한 저택으로 들어가자 급하게 돌아다니는 병사와 시녀가 보였다.

"편지가 왔다."

발자드가 우리에게 말했다.

"폐하의 칙명이다. 성을 가진 마족을 토벌하라. ······미안하지만, 내일 출발한다. 오늘 하루는 편하게 쉬게."

그 말에 나는 저택 주변을 산책했다. 소피아와 커티스는 배정받은 방으로 갔고 리엘은 준비를 도왔다. 산책에 따라온 사람은 유노뿐이었다.

"루온."

레핀도 왔다. 흠, 나와 유노만 있으니 앞으로 어떻게 할지 물어보려고 왔나? 노움인 정령 로쿠토는 보이지 않았다.

"레핀, 로쿠토는?"

"로쿠토는 웬만해서는 밖으로 나오지 않아. 소피아의 마력 안에서 계속 명상 중이야."

"명상……?"

"소피아와 힘을 맞추려면 정신통일을 해야 한대. 아, 루온이 가르쳐준 거는 잘 전달했으니까 안심해."

정령 중에는 그런 정령도 있구나. ……레핀 옆에서 명상하는 로쿠토를 상상하니 기분이 희한한데?

"루온."

이야기가 벗어나자 유노가 원래대로 끌고 왔다. 나는 저택 주변에 펼쳐진 전원 풍경을 바라보며 다음 말을 기다렸다.

"이번 전투가 어떻게 될지 가르쳐줘."

"가장 큰 걱정은 에이나야."

"그 사람도 참가해?"

"5대 마족…… 베르나의 성 방향으로 이동하고 있으니까."

"맞닥뜨리면 위험하다는 거지?"

레핀이 입가에 손을 대고 말했다. 나는 수긍했다.

"기사 발자드에게 말해놨으니까 배려해줄 거야."

"무엇을?"

"새벽의 자유기사단은 여러 나라의 연합부대라서 소피아의 정체를 알아차리는 사람이 있을지도 모른다고 말해놨어."

소피아는 결국, 발자드에게 신분을 말하지 않았다. 발자드는 괜찮아했고, 소피아도 현재 상황을 유지해도 된다고 판단했다. 왕녀라고 말하면 발자드가 부담스러워할 수도 있으니 이대로가 좋겠지.

이번 전투에서 내가 할 일은 몹시 간단하다. 소피아를 베르나에게 데려가 격파하고 새로 생긴 현자의 빛을 가지게 하는 것.

　다른 주인공 중 필리와 알트는 참전하지 않는다. 다만, 오르디아는 이쪽으로 오고 있었다. 십중팔구 베르나 이야기를 듣고 참전하려는 생각이리라. 어쩌면 또 같이 싸울지…… 그는 소피아가 빛을 가진 것도 아니까 같이 싸워도 문제없지만.

　남은 주인공은, 참전하지 않는다. ……그러니 에이나만 주의하면 괜찮을 것이다.

　"루온, 이번 전투는 어떤 식이야?"

　유노가 물었다. 레핀도 내 설명을 기다리며 들을 자세를 취했다.

　"……우선, 성에 들어갈 때까지는 난전이 벌어져."

　"마족이 함정을 팠어?"

　"연합군이 베르나의 거성을 둘러싸고 일제히 공격하는데…… 적이 분단을 노려. 예를 들어 레드라스는 현자의 힘으로 마력 장벽을 만들었잖아?"

　"응. 베르나는 다르다고?"

　"응. 베르나는 포위되니까 방어만 하면 위험하다고 생각했나 봐. 자기 마력을 땅에 흩뿌리고 그걸 통해서 현자의 힘을 지닌 마력 장벽을 펼쳐. 그렇게 숲속에 튼튼한 장벽이 수많이 생기고 연합군은 뿔뿔이 나뉘어 고립돼. 그때, 마물이 덤비지."

　"성가신데……. 알고 있어도 미리 어떻게 하기는 어렵겠어."

　"그렇지. 다만, 레드라스처럼 자기 몸에 두른 게 아니라서 마음만 먹으면 마력 장벽을 파괴할 수 있긴 해…… 하지만 온 힘을 다해야 할 테니까 할 게 못 돼."

나는 어깨를 으쓱했다.

"다만, 베르나는 현자의 힘을 밖으로 확산해서 레드라스처럼 튼튼한 장벽을 못 써. 즉, 평범하게 무찌를 수 있다는 거야."

"성까지 도착하기만 하면 어떻게든 된다는 거구나?"

"바로 그거야."

"장벽에는 어떻게 대처해?"

"베르나의 계획에는 한 가지 제약이 있어. 장벽으로 성을 물 한 방울 새지 못할 정도로 빈틈없이 덮는 건 불가능해. 장벽을 세우면 반드시 어딘가에 외부와 이어지는 공간이 있어야 해."

"그게 길이라고?"

"응. 베르나는 군대를 갈라놓기 위해 장벽을 유동적으로 바꿔. 리엘과 내 사역마를 풀어서 상황을 하나하나 자세히 파악하면 성에 일찍 도착할 수 있을 거야."

게임에서 주인공은 다른 곳에서 성으로 향한다. 게다가 순조롭게 가는데, 아무리 그래도 그것을 기대하기는 어려웠다. 그러니 대책을 세우기로 했다. 리엘도 있으니 성으로 가는 길을 충분히 틀 수 있으리라.

"다른 문제는 없어?"

이번에는 레핀이 물었다. 나는 잠시 생각했다.

"마물의 힘이 조금 신경 쓰여. ……레드라스와 싸우고 얼마 지나지 않았잖아. 게임에서는 시간이 얼마 지나지 않아도 꽤 강해졌어."

"그건 별걱정 안 해. 소피아도 강해졌으니까."

정령이 자신감을 보였다. 흠, 소피아의 훈련을 가장 가까이에서 지켜본 그녀의 말에는 무게가 있었다.

"그래. ……정리하면 마물을 쫓아내며 성으로 진입해 베르나를 무찌른다. 그리고 성 안이 미로인 게 주의할 점이야."

"알았어. 그리고 신경 쓰이는 게 있는데……."

"응."

"마족을 무찔러서 얻을 수 있는 현자의 빛이…… 혹여나 소피아에게 깃들지 않으면……."

"그 빛에 관해서는 모르는 게 많아. 그럴 리는 없다고 말하지 못하는 게 무서워."

"그렇게 되면 어떻게 돼?"

유노가 물었다. 예를 들어 소피아가 아니라 오르디아에게 빛이 깃들면 마왕이 대륙을 붕괴하는 마법 『라스트 어비스』를 발동하는 시나리오로 고정된다.

"……되든 안 되든, 대책은 이번 전투가 끝난 뒤에나 세울 수 있어."

"오케이. 그럼 전투 후에 다시 작전 회의를 열자."

"그래, 그러자."

"그렇게 되면 어떡할지 나도 생각해둘게."

레핀의 말에 나는 「부탁해」라고 대답했다.

다음 날, 소란스러운 와중에 우리는 발자드의 저택을 떠나 전장으로 향했다.

다른 나라도 베르나를 타도하기 위해 거성으로 군을 보냈다. 숫자가 상당하니 마족 쪽에게도 위협적이리라.

우리는 마차를 타고 목적지로 향했다. ……목적지에 가까워지면 동료들에게 작전을 말하기로 했다. 마차 안에는 소피아와 리엘, 커티와 발자드가 있었다.

"음, 우리는 발자드 씨의 부대와 함께 움직이면 됩니까?"

"그래, 괜찮아."

기사가 힘차게 미소 지었다. 『삼강』의 힘을 확인할 기회이기도 해서 내게는 잘된 일이었다.

"그럼…… 리엘, 마물은 어때?"

커티에게 리엘이 「마물을 사역할 수 있다」는 것은 말해뒀다. 리엘은 커티에게 사정을 말할지 말지 이번 전투로 확인하고 싶은 것 같았다.

"시간을 들였지만, 수가 늘지 않았어. 전력이 되기는 어려워."

"그럼 이번에도 다른 일을 부탁해도 될까?"

"뭘 하면 돼?"

"마물로 전장을 정찰해줘."

이번 전투의 포인트는 장벽을 얼마나 빠르게 돌파하여 성으로 진입하느냐이다. 이게 잘 되면 체력적으로 편하고 아군의 희생도 적어진다.

"연합군이니까 협조하겠지만…… 솔직히 여러 나라가 하나가 되어 싸우기는 어려울 거야."

"아마도 그렇겠지."

발자드가 동의했다.

"연합군에 맹주가 있지만, 장식일 게 분명해. 앞장서는 사람이 없으면 개개인이 싸우는 것 외에는 방법이 없어."

……어쩌면 이런 전투를 거치고서야 남부 침공 때는 카난 왕 같은 각국이 인정한 맹주가 필수라고 생각했는지도 모르겠다. 현시점에는 각국이 마족과 싸울 자세를 보이기는 하지만, 결속이 단단하지 않았다.

"지형이 숲이라고 들었어. 어떤 마물이 나타날지는 모르지만, 엄폐물이 많은 전장이니 정보가 가장 중요해."

"마물을 연락책으로 쓰자고?"

커티가 의문을 내비쳤다.

"정보를 주고받기는 어려울걸? 리엘 씨의 능력을 신용하지 않는 군대도 있을 테고."

"알아. 내가 하고 싶은 건 상황 파악이야. 전장이 어떻게 돌아가는지를…… 자세하게 알고 싶어."

"그래서 어떡하겠다는 건가?"

발자드가 물었다. ……모두 내게 시선을 모으고 말을 기다렸다. 뭐랄까, 병법가라도 된 기분인데?

"……먼저 마물의 종류와 수를 특정해. 대규모 군대가 왔으니 적도 상당한 수로 대항할 거야. 가능하면 성에서 마물이 어느 정도 나오는지 알고 싶어."

"그런 뜻이군요."

소피아가 이해했다는 듯이 말했다.

"마물의 출현 정도를 고려하고 기회를 봐서 적의 성에 진입하는 것이군요."

"응. 연합군은 협조가 어렵지만, 마족이 지배하는 마물은 상황을 읽고 연계해서 공격할 거야. ……장기전이 되면 괜히 병력만 줄어들 뿐이야. 그걸 막으려면 가능한 한 빠르게 결판을 내야 해. 다만―"

"문제는 어느 정도의 병력으로 돌격하느냐네."

커티가 입가에 손을 대고 생각에 잠겼다. 가끔 나를 힐끗힐끗 쳐다보는 이유는…… 개인적인 전투 능력을 살짝 가미해서 그런가?

"많이 끌고 가도 움직이기 불편하고…… 그렇다고 너무 인원이 적으면 위험해."

"그건 리엘 공의 정보로 판단하지."

발자드가 무겁게 입을 열었다.

"루온 공, 말해도 괜찮겠나?"

"하세요."

"귀공과 리엘 공이라면 정보를 수집해서 전황 파악이 어렵지 않다는 것은 알겠다. 승산도 충분해 보인다."

그가 겁 없는 미소를 지었다.

"이 전투, 독자적으로 움직여도 된다고 한다. 그러니 나는 루온 공의 계획을 밀겠어."

눈이 휘둥그레졌다.

"네, 네……?!"

"왜 놀라지?"

"아, 아니. 이렇게 간단하게 받아들이실 줄은 몰라서……."

"물론 병사를 지휘하는 건 나다. 루온 공의 계획이 효과적이라고 생각해서 밀기로 한 거다."

"그래도 됩니까?"

다시 묻자 발자드가 크게 고개를 끄덕였다.

"누군가가 해야만 하는 일이야. 다른 군대가 강행돌파 하는 경우는 적어. 그러니 정보를 수집할 방법이 있고, 명료한 루온 공의 계획이니까 밀기로 했다."

……부담스러웠다. 예전처럼 동료들만 있는 게 아니었다. 이번에는 기사와 병사들의 목숨이 걸렸다.

"루온 공, 각오할 거 없어. 우리는 생각하지 말고 그 힘으로 마족을 무찌르게."

발자드의 말이 끝나자 마차가 멈췄다. 도착한 모양이었다.

"내일 전투가 시작된다. 나는 다른 기사들을 만나고 오지. 야영 텐트는 바로 준비할 테니 잠시 마차 안에서 기다려주게."

발자드가 마차에서 내렸다. 남은 우리는…….

"책임이, 막중하네요."

소피아가 중얼거렸다. 그 말에 분위기가 어두워지자…….

"아, 아, 그러지 마, 그러지 마."

유노가 갑자기 수선을 떨었다.

"시작하기 전부터 이렇게 어두워지면 이길 것도 못 이겨."

"맞아."

레핀까지 나타나 유노 편을 들었다.

"너희의 힘이 있으면 반드시 괜찮을 거야."

"……그래요. 힘내죠."

"나도 할 수 있는 만큼 해볼게."

커티가 숨을 내쉬고 우리에게 말했다.

"여기서는 내가 풋내기지? 잘 부탁해."

얼굴에 발랄한 미소가 떠올랐다. 그때, 마차 밖이 소란스러워졌다. 나는 천막을 살짝 걷어 바깥을 살폈다. 커티도 그 사이로 봤다.

"아, 새벽의 자유기사단이네."

소피아의 얼굴이 조금 굳었다.

"에이나 씨가 선두야."

"마물 토벌 때 부리더를 맡을 정도니까, 인정받았나?"

"현자의 핏줄이기도 하니까. 그거랑 관련이 있겠지."

리엘이 끼어들자마자 소피아가 바짝 다가와 천막 밖을 살폈다.

소피아는 당혹스러워했지만, 오랜만에 사촌의 모습을 봤다. ……에이나는 기사단 선두에 서서 바르게 걷고 있었다. 기사단은 통솔이 잘 되어 큰 전력이 될 것 같았다.

소피아는 에이나의 용모를 기억하려는지 시야에서 사라질 때까지 눈을 떼지 않았다.

잠시 뒤, 텐트가 설치되어 우리는 마차에서 내렸다. ……참고로 현재는 베르나의 거성에 가까운 곳이었으나 마물이 공격할 낌새가 없었다.

주변에서 준비가 착착 진행됐다. 위험성이 높은 전투이긴 하지만, 발자드는 내 계획에 동참했다. 그럼 나는 그에 응해 움직이자……. 나는 굳게 결심했다.

피스일리아 왕국의 본군은 전방, 새벽의 자유기사단을 포함한 부대는 오른편에 포진했고 우리를 포함한 발자드가 이끄는 부대는 왼편에 자리 잡았다. 그래서 도착한 뒤로는 에이나를 보지 못했다.

나는 거성 주변에 사역마를 뿌렸다. 리엘도 마물을 숲속으로 보냈다. 상황을 살필 만반의 준비를 했다.

"다른 군도 준비를 마친 모양이다."

발자드의 말에 모두 긴장했다. 우리는 준비를 마쳐서 언제든지 나갈 수 있었다.

내가 할 일은 마물을 무찌르며 리엘과 정보를 나누고, 에이나처럼 소피아의 정체를 아는 인물을 피하는 것. 절대로 실패해서는 안 됐다.

하지만 반드시 난전이 될 테니 얼마나 잘 풀릴지……. 사역마에게서 보고가 왔다. 오르디아가 성 북쪽에 있었다.

오르디아도 주의해야겠군. ……그렇게 생각하던 중, 마침내 행군이 시작됐다.

피스일리아 왕국군이 포진한 곳은 베르나의 거성의 서쪽으로, 게임에서는 오르디아가 있는 방향에서 이벤트가 시작됐다. 시나리오에서는 순조롭게 성으로 갈 수 있는 루트이지만, 현실에서도 그럴지는 모르겠다.

"루온, 이번에도 지원을 맡을 거야?"

그때 갑자기 유노가 물었다. 으음, 어떡할까.

"일단 성 밖에서는 검을 들자."

"안으로 들어가면 지원?"

"어떻게 할지는 성 안에서 판단하고."

동료들을 힐끗 봤다. 참고로 리엘은 전투 능력이 낮아서 외부에서 발자드를 따르는 기사들을 지원하기로 했다. 병사들도 그가 마물 — 다른 사람에게는 사역마라고 말해뒀다 — 을 사역하는 줄 아니까 문제는 없으리라.

사역마로 가볍게 조사해보니 마물 수준은 동료들이 충분히 대응할 수 있는 정도였다. 문제는 진로를 막은 마력 장벽뿐. 이 점이 가장 큰 불안 요소가 되겠다.

그때, 전방에서 함성이 들렸다.

"시작된 모양이군."

발자드가 말했다.

"전원 전투 준비! 단번에 돌파해 거성으로 진입한다!"

그의 호령에 병사들이 움직였다. 유노가 내 주머니에 들어감과 동시에 눈으로 마물을 확인했다.

적은 인간만 한 전신 갑옷 전사. 사람의 얼굴을 이상할 정도로 망가뜨렸다. 이 녀석은 오크라고 불리는 적이었다.

고블린보다 조금 둔중하고 기본 스테이터스가 높다는 차이가 있다. 5대 마족이 생성하는 마물에는 법칙이 있는데, 베르나는 고블린 계열의 마물이 없는 대신 오크 계열의 마물이 나온다. 즉, 베르나전에서는 오크가 잡몹이었다.

만약 레드라스가 아니라 베르나와 처음으로 싸웠다면 하급종인 『브론즈 오크』와 만났으리라. 하지만 눈앞에 나타난 것은 중급종인 『스틸 오크』였다. 마족이 마력으로 만든 존재로, 정말 스틸, 강철 장비를 챙겼는지는 모르지만, 아무튼 공격력과 방어력이 그럭저럭 높았다.

전방에 있는 병사들이 전투를 개시했다. 기합과 함께 공격을 받았는지 비명에 가까운 목소리가 뒤섞였다. 오크종은 특출한 능력이 없는 대신, 눈에 띄는 약점이 없다. 모든 것은 지구력에 달렸다. 병사들에게는 힘든 전투가 되겠다.

"마물이 제법 강한 모양이군."

발자드가 심기 불편해하며 말했다.

"숲속에서 싸우는 것도 불편해. 하지만—"

그가 사병들에게 지시를 내리며 빠르게 걸었다. 높은 숙련도를 뽐내며 무리 지은 적을 향해 곧장 돌진했다.

그를 눈치챈 마물들이 맞섰다. 다음 순간, 갑옷이 찌그러지는 소리가 들렸다. 흥분한 함성이 들리고 병사들이 마물을 밀어냈다.

"음, 연계만 되면 맞설 수 있다."

발자드가 확신을 품고 중얼거렸다. 순수한 신체 능력은 마물이 높기 때문에 마력을 쓰는 기법이 필수였다. 나 같은 모험가는 늘 마물과 싸우기 때문에 경험이 있어서 대처할 수 있지만, 병사는 그렇지 않았다.

마물을 상대하는 계획은, 집단전으로 끌고 갈 것. 인간이 수가 더 많은 것을 이용해 눌러버리는 것이다. 마법도 한 사람보다 여럿이 동시에 쓰면 전체적인 위력이 늘고 하급 마법이어도 마물에게 충분한 피해를 주게 된다.

본질을 이해한 발자드는 병사들을 모아 돌파할 생각인 듯했다. 그러나—.

"응?"

커티가 눈을 가늘게 떴다. 그 시선 끝에 본대 병사가 뿔뿔이 흩어지는 광경이 펼쳐졌다.

"잠깐만, 흩어지고 있어."

"……그게 적의 계획인가 보군."

내가 말하자 동료들이 주목했다.

"위에 푼 사역마로 보니, 갑자기 마력 장벽이 생겨나 진로를 막았어."

"길이 막혔습니까?"

소피아의 물음에 나는 고개를 가로저었다.

"위에서 관찰한 바로는 길이 몇 개 있어. ……어떤 제약이 있어서 마력 장벽으로 성을 감싸지 못한 것 같아."

내 의견에 발자드가 앞의 진로를 노려봤다.

"그 길로 성에 가고 싶다만…… 리엘 공, 숲속은 어떤가?"

"장벽과 마물 때문에 조금씩 군이 흩어지기 시작했네요."

리엘이 의식을 집중했는지 허공을 보며 말했다.

"장벽은 방해될 뿐만이 아니라 운 좋게 빠져나간 군의 퇴로를 막는 효과도 있는 모양입니다."

"바로 그게 적의 계획이로군요."

소피아의 표정이 굳었다. 검을 쥐는 눈초리가 날카로웠다.

"장벽이 어떻게 생겼는지는 모르지만, 각개격파하려는 속셈이겠죠."

"그렇겠지."

발자드가 맞장구치고 내게 물었다.

"루온 공, 하늘에서 확인할 수 있다면 성에서 마물이 얼마나 나오는지도 알 수 있나?"

"마물은 산발적으로밖에 안 나오네요."

"숲속에서 갑자기 마물이 생겨나는 것도 아닌 것 같아."

이것은 리엘의 의견이었다. 발자드가 판단을 내렸다.

"가지. 목표는 성이다!"

병사들이 호응하고 마물들을 밀어붙이기 시작했다. 적은 전 방위 공격에 맞서기 위해 성 주변을 에워싸고 있었는데, 반대로 말하자면 두텁지가 않았다. 돌파하기만 하면 바로 성에 도착할 수 있었다.

병사들이 연계해서 적을 쳐냈다. 그러나 마물들도 가만히 있지는 않았다. 우리가 진군하자 측면에서 공격했다.

"그럼 이제 해보실까."

커티가 가장 자신 있는 무기인 단검을 힘차게 뽑으며 중얼거렸다. ……드디어 시작이다.

"전방은 제가—."

"함께 하지."

소피아에 이어 발자드도 움직였다. 적은 스틸 오크. 소피아의 수행 성과와 발자드의 능력을 확인할 수 있겠다.

소피아가 먼저 공격에 나섰다. 조금의 망설임도 없이 자신에게 접근하는 오크에게 달려들었다.

적보다 빠르게 소피아의 공격이 번뜩였다. 군더더기 하나 없는 동작에 눈이 사로잡혔다. 소피아는 망설임 없이 장검 중급기 『청류일섬』을 날렸다.

레드라스와 싸웠을 때와 비교해 확실히 세련됐다. 공격당한 오크의 몸이 갑옷을 입었든 안 입었든 깨끗하게 잘렸다.

"오오오!"

유노가 놀라는 소리가 들렸다. 더구나 공격은 끝나지 않았다. 뒤따라오던 마물이 다가오자 소피아가 기세를 죽이지 않고 정면으로 상대했다.

이번에는 오크가 먼저 공격했다. 소피아를 향해 수평 베기— 거한이라 해도 무방한 마물의 공격은 중후하다는 말이 어울릴 정도였다.

그러나 소피아는 어렵지 않게 맞섰다. 검으로 오크의 공격을 막고 빠르게 받아넘겨 거리를 좁혔다. 그리고 위에서 내려치기. 추가로 눈으로 좇을 수 없는 속도로 가로 베기— 그 순간, 검날에서 하얀 충격파가 생겼다.

오크의 비명과 터지는 소리가 들린 직후, 소피아는 즉시 다른 마물에게로 향했다.

"루온, 저 기술은?"

"……중급기 『천충열파(天衝烈波)』야."

『청류일섬』보다 위력이 높지만, 기술을 쓸 때 약간의 허점이 생긴다. ……하지만 아까 소피아의 공격에서는 그런 허점이 전혀 느껴지지 않았다.

세 번째 마물은 검으로 공격하지 않고 일단 돌진했다. 소피아는 정면으로 막으려고 했다. 신체를 강화했다고는 하나, 충격까지는 죽이지 못한다. 어쩌려는 거지?

소피아의 검에 바람이 일었다. 하급 마도기 『질풍검』― 그걸로 밀어낼 생각인가.

오크의 돌진과 소피아의 검. 과연 승패는……?! 거센 바람이 휘몰아쳤다. 거구를 이용한 박력 있는 돌진은 놀라울 정도로 어이없게 날아갔다.

아니, 그뿐만이 아니었다. 소피아는 뛰어오르듯이 오크의 목덜미에 접근해 검을 휘둘렀다. 오크의 목 위쪽이 몸에서 분리됐고…… 마물이 소멸했다.

"지원할 필요 없겠는데?"

근처에 있던 커티가 말했다. 눈을 돌려보니 그녀가 병사를 도와 전격 속성 하급 마법 『썬더 볼트』를 쏘고 있었다. 전격이 그녀의 손을 떠나 오크에게 부딪혀 몸을 태웠다. 위력은 충분하군.

"루온이 왜 아끼는지 알겠어."

말과 동시에 마물이 울부짖는 소리가 들렸다. 시선을 뗀 순간에 소피아가 네 번째 마물을 무찌른 것일 수도 있지만……마물을 태연하게 때려눕히는 사람이 한 명 더 있었다.

"으랴아!"

발자드가 포효하며 검을 일직선으로 휘둘렀다. 오크들이 동시에 공격하려고 했지만, 그의 검이 가볍게 두 마리를 베었다.

"……저 사람은 게임처럼 강하군."

나는 평가를 내렸다. 참고로 발자드가 가장 잘 쓰는 무기는 장검인데, 큰 체격에 맞게 만들어서 잘못 보면 대검으로 보였다. 게임에서는 장검 기술을 썼는데 마음만 먹으면 대검 기술도 쓸 수 있을 것 같았다.

그는 소피아와 함께 측면에서 공격하는 마물을 흩어놓았다. 게임 속 『삼강』의 특성인지는 모르겠지만, 실력은 진짜였다.

그가 『삼강』이라고 불리는 데는 다른 이유도 있었다. 그가 가진 스킬 때문이었다. 게임에서는 특정 캐릭터마다 고유한 스킬이 있었다. 예를 들어 커티는 『약초지식』이라는 스킬이 있는데, 회복 아이템의 효과가 5퍼센트 상승했다.

아마 캐릭터에게 개성을 부여하기 위해 만든 시스템이었을 것이다. 그러나 경이로운 고유 스킬을 가진 사람이 적어서 그다지 눈에 띄지 않았다.

그러나 발자드의 스킬은 예외였다. 이름은 『강체(強體)』. 일정 대지미 이하로는 넉백당하지 않는 특성이 있었다.

넉백— 공격당하면 당연히 몸이 밀리지만, 피해치가 극단적으로 낮을 때는 밀리지 않고 움직일 수 있다. 그런 와중에 발자드는 스킬 덕분에 밀리지 않는 피해치가 다른 캐릭터보다 뛰어났다. 이 덕분에 마물과 편하게 싸울 수 있었다.

계속되는 공격에 밀릴 가능성도 있지만, 그건 원래 높은 스테이터스와 HP, 장비로 쉽게 대처할 수 있었다. 덤으로 그는 공격당하면 당할수록 공격력이 오르는 『분노』 스킬도 배워서 단독으로 마물을 가지고 놀 수도 있는, 그야말로 우대받는 캐릭터였다.

오크가 또 돌격했지만, 그는 검을 고쳐 잡고 맞서 달렸다. 오크는 총 세 마리. 도와야 하나 싶었으나 승패는 순식간에 정해졌다.

한 마리를 먼저 검을 휘둘러 처리하고 다음 마물을 찌르려고 했다. 그러나 남은 한 마리가 발자드의 허를 찔러 왼쪽 어깨에 검을—.

"안 통해."

단 한 마디. 그 한 마디대로 오크의 검이 갑옷에 튕겨 나갔다. 갑옷이 지닌 방어력과 그가 두른 두터운 마력 장벽이 피해를 막았다. ……잠깐만, 현실에서도 억지로 밀어붙일 수 있나 본데?

여기에는 적도 대처할 방법이 없었다. 주변에 있던 마물들도 가볍게 쳐내고…… 옆에서 공격하는 적을 전부 처리했다.

"훌륭해."

내 말에 발자드가 나를 보며 웃었다.

"이 기세를 유지하고 싶군. 리엘 공, 길을 안내해주게."

"네."

리엘이 얼른 발자드에게 다가가 함께 움직였다. 나도 따라가려다가…… 소피아가 없다는 것을 알았다.

"루온, 소피아 씨는 저기 있어."

커티가 가리켰다. 그 끝— 전방에서 오크들을 때려눕히고 베는 소피아가 보였다.

"있지, 커티 씨는 소피아의 저런 모습을 상상한 적 있어?"

유노가 묻자 커티가 「설마 그럴 리가」라고 대답했다.

"정말 놀랍기 그지없다니까. ……자, 나도 지지 않을 만큼은 움직여야지. 먼저 갈게."

커티는 앞으로 나갔고, 나는 일단 주변을 둘러봤다. 소피아와 발자드 덕분에 부대 측면에는 적이 없었다. 사역마로 전장을 확인하니 다른 부대는 고전 중이었다. 원래는 도와야 하지만, 걸음을 멈췄다가 성에 늦게 도착하면 피해만 커진다.

그리고 거성 주변을 청소하고 성을 공격하면 베르나가 어떻게 행동할지 모른다는 것도 무서웠다. 게임 상황과 같이 단번에 성으로 진입해서 무찔러야 했다.

그렇게 결심하고 나도 커티의 뒤를 따르려다가— 마력을 느꼈다.

방향은 위. 그것이 새로운 마력 장벽임을 깨닫고 주변 병사들에게 외쳤다.

"모두 숙여!"

곧바로 숲으로 마력이 날아들었다. 갑작스러운 변화에 당황한 병사들이 마력을 피하려고 물러섰다.

이이서 장벽이 만들어지고…… 분단되고 말았다.

"루온 님?!"

곧바로 이변을 알아차린 소피아가 돌아왔다.

"루온 님, 괜찮으십니까?!"

"다치진 않았어. 단지—."

시험 삼아 검으로 장벽을 베어봤다. 까앙, 단단한 금속이라도 때린 것 같은 소리가 들렸으나 부서지지 않았다. 현자의 힘이었다. 온 힘을 쏟지 않으면 부수지 못할 것 같았다.

"루온 씨, 오른쪽으로 돌아서 와!"

리엘이 달려와 내게 외쳤다.

"지금은 그쪽으로 돌면 돼!"

"고마워. ……나는 사역마로 장벽 위치를 파악하면서 성으로 갈게. 소피아."

"네."

"발자드 씨와 함께 먼저 가. 부탁해."

내 지시에 소피아가 얼른 자세를 바로 했다.

"네!"

"장벽 때문에 앞으로 갈 수 없는 병사는 다른 군과 합류해 적을 쳐라!"

발자드가 병사들에게 지시를 내렸다.

"루온 공, 병사들에게는 지시해뒀으니 신경 쓰지 말고 성으로 가주게."

"알겠습니다."

동료들은 곧장 병사들을 이끌고 성으로 전진했다. 리엘도 있으니 문제없이 도착하리라.

좋아, 나도 서두르자. 발자드의 명령에 병사들이 일정한 방향으로 움직였다. 그곳에는 피스일리아 왕국의 본군이 있었다. 합류하려는 것이로군.

장벽 뒤에 있던 발자드의 사병은 전체의 약 4분의 1. 그들은 망설임 없이 본군에 합류해 연계를 시작했다.

나는 사역마로 길을 확인했다. 장벽은 끊임없이 변했다. 전황의 변화로 유연하게 변했나 보다.

단, 전 방위로 공격하는 우리의 전군을 막지는 못했다. 실제로 동료들이 성에 가까워지고 있었고 오르디아도 다가가고 있었다.

이대로만 가면 작전대로 끌고 갈 수 있다. 그럼 이제 내가할 일은 빨리 동료들과 합류하는 것. 숲속을 내달리던 중, 사역마가 보고했다.

새벽의 자유기사단이 고전했다. 게다가 오크가 아닌 강적과 만나버렸다.

"……좋지 않은데."

"루온?"

나는 유노에게 대답하지 않고 달리기 시작했다.

"자, 잠깐만, 루온?! 갑자기 왜 그래?!"

"새벽의 자유기사단이 위험해! 게다가 아무래도 적이—."

그렇게 대답한 동시에 그들이 시야에 들어왔다. 기사단 멤버와 주변에 있는 오크. 그리고 그들의 적은, 소머리와 전투 도끼를 든 거구—『미노타우로스』였다.

마물이 울부짖더니 호쾌하게 전투 도끼를 휘둘렀다. 주변 나무를 가볍게 베어내는 공격은 경외감을 품을 만했다.

미노타우로스와 대치하는 사람은 에이나를 중심으로 한 기사 몇 명이었다. 그들도 맹렬한 힘 앞에 방어만 하기도 빠듯했다. 주변의 오크들이 다른 기사를 노리며 서서히 포위망을 좁혔다.

아군이 도우러 올 기색은 없었다. 여기 있는 마물은 기사단만으로 무찔러야 했다.

"루온, 저 녀석만 다른 마물과 달라."

"전방 지휘관이 아닐까?"

그들과 가까워지자 나는 가장 가까이 있는 오크를 검으로 처리했다. 기사단 몇몇이 나를 봤는지 놀란 표정을 지었다.

"주변 마물을 무찔러주세요!"

내 외침에 기사들이 기합을 넣으며 호령하고 마물과 싸우기 시작했다. 나는 에이나에게—.

"오지 마라! 루온 공!"

에이나가 말렸다.

"주변 마물을 부탁한다! 이 녀석은, 내가 맡겠다……!"

검을 겨눈 그녀가 함성을 지르며 거구를 공격했다.

미노타우로스는 전투 도끼로 맞섰다. 마치 나뭇가지라도 휘두르듯이 휘둘러대서 다른 기사들은 전혀 접근하지 못했지만, 에이나는 달랐다.

무모하기 그지없는 돌격. 나도 몸에 힘이 들어갔다. 그러다 문득, 소피아가 시련 때문에 홀로 싸운 것이 떠올랐다.

에이나가 말렸는데 어떡할까— 생각하는 사이, 에이나가 미노타우로스에게 접근했다!

바람을 일으키며 다가오는 미노타우로스의 공격— 전투 도끼의 엄청난 속도에 다른 기사들은 에이나가 두 동강 나는 상상을 했으리라.

에이나는 종이 한 장 차이로 피했다. 그리고 미노타우로스의 품으로 파고들어 검을— 내질렀다!

그녀가 쥔 검에서 화염이 솟구쳤다. 마도기다. 눈 깜짝할 사이에 업화로 바뀌어 순식간에 미노타우로스의 몸을 집어삼켰다.

—으어어어억!

대기를 뒤흔드는 절규가 숲에 메아리쳤다. 이 기술은 마도 중급기 『홍련격』이다. 소피아가 쓰는 『화염 베기』의 상위 기술로, 상대를 화염으로 감싸 불태운다. 마법을 쓰지 않는 에이나가 마도기를 쓴 것은— 무기 덕분이었다.

충분한 피해를 주지 못했는지 미노타우로스는 아직 쓰러지지 않았다. 에이나가 공격을 추가했다.

그러나 미노타우로스는 업화에 감싸인 채, 지지 않고 전투 도끼를 휘둘렀다. 속도가 처음과 거의 다르지 않았다. 에이나가 피할 수 있을까?!

"가랏!"

유노가 흥분해서 외쳤다. 전투 도끼는 에이나의 몸을— 스쳤지만, 동작에는 영향이 없었다.

두 번째 공격이 오기 전에 에이나는 반격에 나섰다. 검을 세로로 내리치고 빠르게 검을 거두었다. 아까 소피아가 쓴 『천충열파』였다.

두 번째 공격이 맞자 소피아처럼 하얀 충격파가 퍼졌다. 업화와 흰색에 감싸인 미노타우로스는 마침내 전투 도끼를 든 팔의 힘을 잃고 떠밀려 날아갔다.

거구가 숲속에 쓰러졌다. 그 몸은 주변을 쿠웅 울리고 소멸했다.

"해낸 건가……."

에이나가 거칠게 숨 내쉬며 중얼거렸다. 지금 그녀의 전력을 다 쓴 것 같았다. 만약 미노타우로스가 버텼으면 공격당했을 것이다. 정말 아슬아슬했다.

그때, 옆에서 오크가 달려들었다. 이번에는 내가 단칼에 베어서 무사히 끝났다.

"고맙군, 루온 공."

"신경 쓰지 마. 괜찮아?"

"어찌어찌. 약한 소리는 못하겠다."

결연하게 대답한 에이나가 검을 고쳐 쥐고 마물을 노려봤다. 에이나의 전투를 보고 사기가 오른 새벽의 자유기사단이 마물 수를 크게 줄였다.

"가장 큰 문제는 변하는 마력 장벽이다. 장벽이 다른 군과의 연계를 막는다. 게다가 우리도 분단됐다."

그때, 피스일리아 왕국의 병사가 다가왔다.

"자유기사단 여러분, 무사하십니까?"

"이쪽은 어찌어찌. 그쪽은?"

"장벽 때문에 고생했지만, 간신히 태세를 정리했습니다."

나도 옆에서 대화를 듣는데 사역마의 보고가 들어왔다. 동료들이 무사히 성에 도착해 안으로 들어갔다. 나도 가야 했다.

그러나 에이나 일행을 데리고 가기는 위험했다. ……그때, 어떤 생각이 떠올랐다.

"에이나, 잠깐 괜찮아?"

"루온 공, 왜 그러나?"

"지금 별동대가 성으로 향하는 중인데 수가 많지 않아. 숲에 있는 마물들이 성으로 돌아가면 뒤에서 공격당할 거야."

"양동 작전을 해달라는 말인가?"

"응."

사실은 에이나도 성으로 가고 싶을 것이다. 찬성해 줄지는 도박이었지만…….

"좋다. 루온 공에게 생각이 있는 것 같군."

그 말은 내 계획에 함께하겠다는 건가?

"기사단! 우리는 아군과 연계해 숲속에 있는 마물을 처리한다!"

오오옷! 기사들이 대답했다. 에이나가 나와 눈을 맞췄다.

"아까 같은 마물을 막는 게 한계다. 분하지만, 나는 마족을 쓰러뜨리지 못해. ……루온 공, 부탁한다."

"응, 맡겨줘."

나는 몸을 돌려 달렸다. 사역마로 장벽이 끊긴 곳을 찾아 주저 없이 달렸다.

도중에 고립된 부대를 만나 주변에 있는 마물을 무찔렀다. 나는 놀라는 병사들에게 아군과 합류하라고 지시하고 길을 나섰다.

내가 있는 서쪽 군은 혼란에 빠져 고전했지만, 이내 재정비에 들어가자 서서히 형세가 좋아지기 시작했다. 그러자 다른 방향에 있던 마물들이 군대를 막기 위해 서쪽으로 조금씩 이동했다. 그 결과, 북쪽과 남쪽에서 공격하는 부대가 상대하는 마물 수가 줄어서 전체적으로 전황이 개선되었다.

리엘이 시간을 반복했을 때와 비교해 나아졌는지는 모르겠지만…… 심각한 피해를 보지는 않았다.

"루온, 성까지 얼마나 남았어?"

"이제 곧 도착해. 동료들에게 아무 일 없었어야 할 텐데."

성 안까지 사역마를 보낼 수는 없으니까……. 싸우는 병사들을 발견하면 주변 마물을 처리하고, 격려하면서— 이내 성에 도착했다.

베르나의 성은 레드라스의 거성처럼 특이하지 않고 투박했다. 높이는 나무를 조금 넘는 정도고, 거성치고는 작았다. 베르나는 지하에 만든 미로 안쪽에 있기 때문에 지상 부분은 눈속임이나 다름없었다.

입구 부근에는 먼저 간 발자드의 사병이 있었다. 리엘도 함께 있었다.

"리엘!"

"루온 씨, 무사해서 다행이야."

리엘이 성 입구를 가리켰다.

"동료들은 이미 안으로 들어갔어. 병사들도 돌아다니고 있고…… 그러다가 성은 속임수고 지하가 진짜인 걸 알게 됐어."

이미 조사를 마쳤구나. 부대 하나를 투입했으니 성 안을 탐색하는 데 얼마 걸리지 않았으리라.

"그리고 우리보다 먼저 들어간 부대가 있는 것 같아."

"알았어. 고마워."

그대로 인사하고 성으로 들어가려던 때, 사역마로부터 보고가 들어왔다. 북쪽에서 다가오는 인영―.

"……루온 씨?"

내가 갑자기 침묵하자 리엘이 물었다.

"왜 그래?"

"아니, 아무것도 아니야. ……리엘, 바깥 일을 부탁해."

"응, 나한테 맡겨."

그가 대답한 그때, 북쪽에서 수풀을 헤치는 소리가 들렸다. 병사들이 경계했고, 나타난 것은— 낯익은 사람이었다.

"깜짝이야."

우리가 말하기 전에 상대가 입을 열었다.

"루온 씨와 이걸로 세 번째 만나는 건가……."

"—오르디아 씨?!"

리엘이 눈을 동그랗게 떴다. 그렇다. 레드라스와 싸운 뒤, 우리와 헤어진 오르디아가 그곳에 있었다.

타이밍 좋은데……. 나는 그에게 말했다.

"거점이 있는 마족과의 전투야. 이렇게 만난 건 절대 우연이 아니야."

"……확실히 그렇군."

오르디아가 웃었다. 예전에 봤을 때와 다르게 당돌한 미소였다.

"벌써 성에 들어간 인간이 있는 모양이군."

"응. 먼저 간 사람들과 합류하면 마족이 있는 곳에 금방 도착할 수도 있어."

나는 오르디아에게 말하고 성 입구로 몸을 돌렸다.

"가자."

"그래."

대답한 오르디아와 함께 성 안으로 들어가자 문 여러 개가 눈에 들어왔다. 좌우 벽에 두 개씩, 정면에 하나. 전부 열려 있고 병사 둘이 서 있었다.

"루온 공, 이쪽입니다."

한 병사가 오른쪽 문을 가리키며 말했다. 발자드의 사병인 가보다. 나는 그에게 「고마워요」라고 감사를 표하고 오르디아와 함께 달렸다.

먼저 간 사람들이 마물을 처리해서 성 안이 무척 조용했다. 나와 오르디아는 별다른 방해 없이 앞으로 나아갔다. 승부는 지금부터다.

베르나의 성 지하는 미로로 되어 있다. 지금까지 들어갔던 던전이 죄다 게임보다 복잡했으니 미로도 분명히 복잡해졌을 것이다. 시작 지점과 도착 지점 부근 정도는 알지만, 게임 지식으로 맞는 길을 고르기는 어렵다.

오르디아는 레드라스와 싸울 때 마족이 어디 있는지 알 수 있었는데, 그 능력을 미로에서도 쓸 수 있을까?

이내 지하로 가는 입구가 눈에 들어왔다. 이곳에도 여러 병사들이 주위를 경계하고 있었다.

"여기까지는 제압했습니다. 이 성은 지하가 미로인 모양입니다."

"성가신데."

오르디아가 말했다.

"마족…… 성의 주인은 여성형 마족 베르나야. 어디 있는지 알지만, 미궁이면 맞는 길을 찾기 어려워."

역시 그런가.

"알았어. 일단 동료들이 아래에 있으니까 합류하자."

"그래."

계단을 내려가자…… 다섯 개의 길이 나왔다. 문이 없는, 당혹하게 만드는 통로였다. 동료는 보이지 않았다. 합류는 나중 일이 되겠다.

게임에서는 가운데 길이 정답이었는데, 미로가 복잡해졌을 테니 그 다음부터는 알 수 없었다.

나는 통로 벽을 만져봤다. 투박한 흰 벽이 통로를 갈랐다. 부수면 편해지리라.

"흠."

검으로 슬쩍 쳐봤지만, 상처 하나 나지 않았다. 온 힘을 쏟으면 가능할 것도 같지만, 여기서 힘을 발휘하면 위험했다.

"그냥 가는 수밖에……."

그렇게 중얼거린 그때, 어디선가 무슨 소리가 들렸다. 뚜렷한 쇳소리, 누군가가 싸우고 있었다.

"……가야겠어. 오르디아, 어느 쪽인지 알겠어?"

"감으로 찍자면 가운데나 그 옆."

"나도 그런 느낌이 들어."

"그럼 가운데로 가자."

나와 오르디아는 동시에 달렸다. 달릴수록 싸우는 소리가 가까워졌다.

이윽고 모퉁이 너머에서 목소리가 들렸다. 당장 속도를 올려 모퉁이를 돌자 여러 병사가 마물에게 창을 겨누고 있었다.

늑대 머리에 온몸이 새빨간 마물. 이 녀석은 『블러드 파이터』인데 발톱이 무기인 전사 계열 적이다.

근육질 몸으로 휘두르는 공격은 크리티컬율이 높아서 성가신 적이었다. 게다가 이 녀석은 밖에 있는 스틸 오크보다 능력이 조금 더 높아서 병사들은 십중팔구 고생한다.

"내가 간다!"

나는 그렇게 외치고 병사들 앞에 섰다. 그 순간, 블러드 파이터가 발톱을 뻗어 위협했다.

나는 무시하고 거리를 좁혔다. 마물이 으르렁대며 나를 찌르려고 했다. 나는 태연하게 검으로 받아넘기고 보답으로 마물의 흉부를 찔렀다.

몸을 관통하자 마물이 움찔거렸다. 그리고 소멸―.

"더, 덕분에 살았습니다…….."

초췌해진 병사가 감사를 표했다.

"먼저 간 사람이 있을 텐데요."

병사들에게 물으니 한 사람이 살짝 손을 들었다.

"발자드 님과, 함께 계신 분들은 먼저 가셨습니다. 그런데……."

"그런데?"

"저도 그 자리에 있었는데, 갑작스레 마물 떼를 만나 뿔뿔이 흩어졌습니다."

상황이 위험해졌다.

"알겠습니다. 우리는 안으로 들어갈 건데, 여러분은 어떻게 하시겠어요?"

"일단 후퇴하겠습니다. ……쭉 가서 오른쪽 모퉁이를 도십시오. 동료분이 싸웠던 곳입니다. 조심하십시오."

"알겠습니다. 고맙습니다."

감사를 표하고 우리는 다시 달렸다. 계속 앞으로 달리다가 병사의 조언대로 오른쪽 모퉁이를 돌아 직진했다.

사방으로 길이 뻗은 탁 트인 공간에 도착했다. 바닥에 불탄 흔적이 있었다. 이곳이 병사가 말한 곳이었다.

"소리에 의지해 가야겠군."

오르디아가 길을 바라보며 말했다. 힌트 없이 고르기에는 위험성이 있지만, 계속 여기 있을 수도 없었다.

그때, 날카로운 쇳소리가 들렸다.

"루온, 아마 저쪽 길일 거야!"

유노가 정면에 있는 통로를 가리켰다.

"오르디아."

"알아! 가자!"

무슨 일이 있어도 최악의 사태는 피해야 한다. 서두르자.

전력으로 질주했다. 이내 도착한 곳에는 단검을 휘두르며 블러드 파이터와 대치하는 커티가 있었다.

"커티!"

부름과 동시에 오르디아가 달렸다. 커티와 교대하듯이 마물과 맞섰다. 검이 부딪치고 빛을 내뿜으며 중급기『크로스 글림』을 발동했다!

공격은 성공했다. 공격당한 마물이 단말마와 함께 날아가 소멸했다.

"고마워."

커티가 숨을 몰아쉬며 오르디아를 봤다.

"처음 보는 사람이네. 루온이랑 아는 사이?"

"오르디아 타게이트. 말한 대로 루온 씨의 지인이다. 다른 루트로 참전했어."

"그래. ……루온."

"왜 그래?"

커티의 표정이 진지해졌다.

"이 길 너머 어딘가에 소피아 씨가 있어. ……앞서가던 병사가 고전하는 소리를 듣고 달려갔어."

"도우러 갔구나. 커티는 어떻게 된 거야?"

"쫓아가려고 했는데 마물에 막혀서 이러고 있었어. 혼자서는 힘드네."

"알았어. ……발자드 씨는?"

"다른 길로 갔어. 어딘지 알아."

"그렇다면—."

나는 오르디아에게 요구했다.

"오르디아. 미안하지만, 동료와 합류하는 걸 도와줘."

"물론이야."

그가 고개를 끄덕였다. 저번처럼 순순해서 다루기 쉬웠다.

"커티, 오르디아와 함께 돌아가서 발자드 씨와 합류해. 실력은 내가 보장할게."

"좋아. 루온은?"

"소피아를 찾을게. 흩어진 지점에서 합류하자. 시간이 지나

도 돌아오지 않으면 먼저 가. 단, 가장 안쪽에 있을 마족에게
는 덤비지 마."

"그건 알아. 오르디아 씨, 가죠."

"응."

두 사람이 지나온 길을 되돌아갔다. 나는 소피아를 찾아야
했다.

아까 전투를 보니 이 성 안에 있는 마물은 혼자 상대해도
문제없겠는데…… 자, 이 미로에서 어떻게 찾지?

"루온, 도움이 필요해 보이네?"

유노가 말했다.

"어디 있는지 모르겠다는 거지?"

"응. 무슨 방법 있어?"

"소피아가 가진 아티팩트…… 그게 어디 있는지 마법을 쓰
면 알 수 있어."

"응? 정말?"

"응. 그런데 방향밖에 모르니까 나머지는 루온 몫이야."

"알았어. 부탁해."

한순간, 유노가 마력을 발산했다.

"저쪽."

얼마 지나지 않아 그녀가 한쪽 길을 가리켰다. 나는 곧바로
달렸다.

도중에 몇 번인가 마물과 마주쳤지만, 바로 처리했다.

귀를 기울여도 소리가 들리지 않아서 조금씩 불안해졌다.

만약 모퉁이를 돌았는데 소피아가 쓰러져있다면……. 애써 그런 상상을 뿌리치고 오로지 유노의 조언에 따라 달렸다.

"이 근처에 있어."

유노가 말한 주변을 빈틈없이 뒤졌다. 이름을 불러야 하나 잠깐 고민했지만, 마물이 반응하면 위험했다.

갈수록 더 해지는 초조함을 느끼며 계속 돌아다녔다.

"저 모퉁이야."

그때, 유노가 단언했다. 얼른 달려가 모퉁이를 돌자 그곳에—.

"……루온 님."

검을 겨누고 깜짝 놀란 표정을 지은 소피아가 있었다. 그 모습을 보고 나는 마음 깊이 안도했다.

"소피아, 무사해? 다치지 않았어?"

"아, 네. 괜찮습니다."

"마력과 체력은?"

"잠깐, 쉬었습니다. ……문제없습니다."

"왜 혼자서 움직였어?"

소피아가 순간 입을 다물었다. 뭔가 겁먹은 것 같은 반응인데…… 대답을 기다렸다.

"안쪽으로 간 병사가 있다는데 소리도 들려서…… 다른 분들은 괜찮으실 테니 저 혼자서……."

"왜 여기 서 있었어?"

"병사들을 돕고 왔던 길로 되돌아온 후, 피로가 쌓여서…… 계속 싸우기 어렵다는 판단에 마물의 기척이 없는 곳에서 쉬고 있었습니다."

"그래. 아무튼 무사해서 다행이야."

소피아가 왜인지 목을 움츠렸다. 게다가 어두운 표정으로 내 말을 기다리는 듯한 시선을 보냈다.

"루, 루온 님."

"······왜?"

"죄, 죄송합니다······."

소피아가 긴장해서 사과했다.

"수행하고 오만해졌나 봅니다. 다른 분들 덕분에 강해졌는데····· 이런 폐를······."

아, 아아. 혼내는 줄 알았구나. 일레이 씨가 예언한 상황이지만, 개인적으로는 잘못이 아니라고 생각했다.

그보다 혼낼 이유가 없었다. ······단독으로 움직인 것은 위험하지만, 소피아라면 자기 몸 상태와 상황에 맞게 어떡할지 판단할 수 있을 터였다.

"저기, 루온 님······."

소피아가 나를 올려다봤다. 울 것 같아······. 나는 어찌할 바를 모르다가 손을 들었다.

소피아가 어깨를 움찔했다. 나는 그녀의 머리 위에 톡 손을 올렸다.

"······어?"

그리고 조용히 머리를 쓰다듬었다. 무슨 일이 일어났는지 이해가 안 되는지 멍하니 있는 소피아에게 말했다.

"소피아가 무사하니 됐어. 소피아의 판단으로는 도우러 가는 게 지극히 당연한 일이잖아. 난 이러쿵저러쿵하지 않을 거야."

"그, 그렇습니까."

"물론 단독행동을 할 때는 주의해야 해. 여기는 적진이니까. 하지만 소피아가 스스로 내린 결단이니까 됐어."

소피아는 가만히 있었다. 문득 일레이의 말이 떠올랐다.

"……소피아 덕분에 병사들이 산 거야. 정말 잘했어."

갑자기 소피아의 몸에 힘이 들어가는 게 느껴졌다. 왜 그러는지 놀라는 동안, 살짝 숙인 얼굴이 살짝 붉어진 게 보였다.

"가, 감사합니다……."

칭찬받아서 기쁜가? 일레이의 말이 맞았구나.

소피아가 가슴에 손을 대고 생각하는 시늉을 했다. ……엄청 기쁜가 보다. 그, 그렇게나 기쁜가? 평소에 더 칭찬할 걸 그랬나…….

"그런데 루온."

갑자기 유노가 주머니에서 튀어나왔다.

"언제까지 쓰다듬을 거야?"

나는 지적받고 손을 뗐다. 소피아가 왠지 아쉬운 표정을 지은 것 같은데…….

"소피아, 기뻐 보여."

잠깐, 야! 유노가 재미있어하며 말하자 소피아가 깜짝 놀랐다.

"저, 저기, 그게 말이죠……."

"아냐, 아냐. 스승인 루온에게 칭찬받으면 기쁜 게 당연하니

까. 잘 됐다."

……유노, 때와 장소를 골라주라, 부탁이니까.

보는 내가 조마조마해 하는 사이, 소피아는 원래 표정으로 돌아왔다. 유노가 지적한 대로 기습에 약하구나.

"이제 호흡이 진정됐습니다. ……어떡할까요?"

"아, 응, 그래. 아까 커티와 만나고 일단 돌아가 있으라고 지시했어. 그리고 오르디아도 마족 토벌에 참여했더라. 성 앞에서 합류했고 지금은 커티와 함께 움직이고 있어."

"오르디아 씨가…… 그랬군요. 그분과 함께 싸운다니 든든합니다."

소피아가 크게 숨을 내쉬었다.

"돌아가죠."

주변을 경계하며 왔던 길을 돌아갔다. 소피아의 표정이 완전히 원래대로 돌아왔다. 전투에 지장은 없겠다.

우리는 마물과 만나지 않고 합류 지점에 도착했다. 그곳에는 커티와 오르디아 외에 발자드와 그의 병사들이 있었다.

"무사한 것 같네. 그런데 루온은 별난 지인이 다 있구나?"

나는 오르디아를 봤다. 그가 고개를 끄덕였다. 자기 정체를 밝힌 모양이었다.

"과거를 캐물을 생각은 없으니까 안심해."

커티는 그렇게 말했지만…… 오르디아는 커티의 고향을 불태운 원인이기도 했다. 그 이야기는 안 한 것 같은데— 뭐, 커티가 그 마을 출신이라고 말하지 않는 한은 모르겠지.

이 이야기는 찔러대면 안 되겠다고 결론을 정리하고 있으니 발자드가 탄식했다.

"드디어 모였군. 그만 가지. ……다들 괜찮나?"

모두 고개를 끄덕이자 발자드가 진격을 지시했다.

모두 주위를 경계하며 앞으로 나아갔다. 오르디아가 베르나가 있는 방향을 알려줬지만, 미로인지라 무작정 가리킨 방향으로 갈 수 없는 노릇이었다.

그래서 헤매다가 마물과 맞닥뜨렸지만, 동료들은 신경도 쓰지 않았다.

"흐읍!"

발자드는 블러드 파이터를 한 방에 처리했고 소피아가 『청류일섬』으로 적을 끝장냈다. 오르디아가 『크로스 글림』으로 마물을 소멸시켰고, 병사와 커티가 힘을 합쳐서 마물이 허점을 찌를 시간을 주지 않고 뭉개버렸다.

나는 그들이 싸우는 것을 보고 지원을 맡기로 했다. 무기를 검에서 지팡이로 바꾸고 마물의 특성에 맞춰 도왔다. 예를 들어 적의 회피 능력이 높으면 확실하게 처리할 수 있게 민첩성이 오르는 『윙 필드』를 썼고, 방어력이 높으면 공격 능력이 오르는 『차징 필드』를 쓰는 식이었다.

우리는 전투를 반복하며 베르나가 있는 가장 안쪽으로 나아갔다. 곧 미로를 빠져나갈 것 같다는 예감이 들었을 때…… 우리가 가는 방향에서 으르렁대는 소리가 들렸다.

"……불길한 예감이 듭니다."

소피아가 날카롭게 말했다. 오르디아도 동의하고 심각한 표정으로 말했다.

"지금보다 강한 마물이 기다리고 있을 거야."

미로의 종점에는 중간 보스라고 해야 할 마물이 있다. 『가넷 울프』라는 인간의 몸과 늑대의 머리를 가진 워울프 계열 마물이었다. 베르나의 부하 중에서도 정예로, 블러드 파이터의 대장 격이었다.

그 녀석의 소리가 들린다는 것은 이 미로의 종착점에 가까워졌다는 의미였다. 발자드와 소피아가 경계하며 조심스레 움직이다가— 드디어 도착했다.

미로의 출구로 보이는 통로와 그 앞을 막아선 이름 그대로 보석 가넷처럼 진홍색인 마물이 그곳에 있었다.

"—강하다."

발자드가 그렇게 말하자 마물이 울부짖고 우리 쪽으로 뛰어올랐다!

병사들은 옴짝달싹하지 못했다. 그러나 전방 3인— 소피아와 발자드, 오르디아는 반응했다.

"흩어져!"

발자드의 명령과 동시에 소피아와 오르디아가 좌우로 흩어졌다. 발자드는 뒤에 병사들이 있어서 버티고 섰다. 설마 이대로 막을 셈인가?!

"흐으읍!"

기합과 함께 그의 검이 가넷 울프를 향했다. 공중에서 공격당한 마물이 기사의 검에 부딪혀 튕겨 나가 원래 서 있던 위치까지 반쯤 강제로 돌아갔다. 소피아가 왼손을 뻗었다.

"냉엄한 천령이여, 내 손에 모여라— 거대한 번개여!"

한 줄기 벼락이 가넷 울프의 가슴을 꿰뚫었다. 마력이 응축된 창과 같은 섬광의 위력은 엄청날 터였다.

이 공격은 전격 속성 중급 마법 『라이트닝』이다. 수행하고 여기서 경험치를 얻어 기술만이 아니라 드디어 마법도 중급 클래스를 쓸 수 있게 됐나. 일레이의 말대로 실전으로 기술과 마법을 습득하는 타입이군.

소피아가 가슴을 꿰뚫어도 마물은 소멸하지는 않았지만, 움직임이 둔해졌다. 오르디아가 그곳을 파고들었다. 성 안에서 여러 번 쓴 『크로스 글림』을 먹이고, 소피아가 틈을 노려 공격하자 마물이 꼼짝하지 못했다.

"모두 피해!"

커티의 목소리가 날아들었다. 소피아와 오르디아가 마물에게서 떨어진 순간—.

"화염의 마신이여, 모든 것을 불태워라!"

레이저 광선 같은 붉은 빛이 똑바로 마물을 향했다.

갈팡질팡하던 가넷 울프는 피하지 못하고 그대로 당했다. 마물의 몸에 불이 붙고 온몸을 불태웠다.

이것은 화염 속성 중급 마법 『블레이즈 레이』— 붉은 열선을 쏘는 마법으로 위력이 중급 중 상위권인 우수한 마법이다. 가넷 울프가 저항했지만, 화염에서 벗어나지 못하고 무너져 내렸다.

"후우, 쓰러뜨렸다. 숨통을 끊어서 다행이야."

커티가 중얼거리며 안도했다.

"고위 마법이라서 안 쓰고 남겨놨었는데, 여기까지 왔는데 안 쓰면 위험할 것 같더라고."

"믿음직하군."

발자드가 커티에게 말하고 병사들을 봤다.

"다치지 않고 무찔러서 다행이다. 자, 가자."

우리는 병사들과 함께 마물이 지키던 통로로 향했다. 그곳에는 내리막 계단이 있었다.

나는 알고 있다. 드디어 베르나와의 결전이다.

계단을 내려가니 쭉 뻗은 통로가 있었다. 장기가 짙어져서 모두가 길을 노려봤다.

"종점이 가깝군요."

소피아가 단정했다. 자, 어떻게 싸울까.

병사를 포함하면 인원이 꽤 됐다. 이들과 함께 베르나와 싸우면 유리할까, 불리할까……. 일제히 공격하면 베르나를 격파하기 쉽겠지만, 도움이 되지 못하고 희생자가 나올 가능성도 컸다.

게다가 인원이 이 정도나 되면 베르나의 행동이 달라지겠지……. 가능한 한 돕겠지만, 어떻게 될지 모르겠다.

다 같이 천천히 통로를 걸었다. 길이 곧게 뻗어 있었다. 게임에서는 함정이 없었는데……. 그때, 뒤에서 갑자기 장기가 느껴졌다.

무슨 일인가 싶어 돌아봤다. 뒤늦게 다른 사람들도 뒤를 봤다.

갑자기 계단 근처 바닥에 마법진이 떠오르고 블러드 파이터 세 마리가 나타나 우리를 공격했다. 인원이 많아서 그런지 게임에는 없었던 일이 일어났다.

"저희가 맡겠습니다!"

병사들이 외치고 마물들과 싸웠다. 미궁에서 경험을 쌓았는지 능숙하게 대응하며 확실하게 공격했다.

그러나 이걸로 끝이 아니었다. 계단에서 더 많은 마물들이 내려왔고 새로운 마법진이 생기기 시작했다.

"안쪽에 있는 마족의 짓이군."

발자드가 마물들을 응시하며 병사들의 뒤에 섰다.

"병사들을 두고 갈 수는 없지. ……루온 공, 맡겨도 되겠나?"

"저와 동료들끼리 마족을 쓰러뜨리라고요?"

"그래, 나와 병사들이 여기서 막겠다."

"갈라놓으려는 건가?"

유노의 의문에 발자드가 「그렇군」이라고 긍정했다.

"루온 공에게 부탁해서 미안하지만…… 귀공이라면 믿을 수 있어."

"알겠습니다. ……소피아."

"문제없습니다."

"오르디아, 괜찮겠어?"

"괜찮아."

"커티는 어때?"

"여기까지 왔으니 해야겠지?"

"알겠어. 그럼— 가자!"

우리는 일제히 달렸다. 뒤에서 병사들의 함성이 들렸다. 레드라스와 싸울 때와 같은 구도라는 생각이 들었다.

통로를 내달리자 거대한 문이 눈에 들어왔다. 종착점, 드디어 마족과의 결전이 시작된다.

문 앞에 도착하자 성대한 소리를 내며 문이 열렸다. 안쪽은 지하임에도 창문으로 햇볕이 내리쬐었다. 태양을 봤을 뿐, 진짜 빛은 아니겠지……. 안에는 제단이 있고 방 중앙에 여성형 마족이 있었다.

"나의 거성에 잘 왔다."

성숙한 여자 목소리가 들렸다. 진홍색 슬릿 드레스에 아름다운 황금색 머리카락. 모든 남자들을 사로잡고도 남을 정도로 요염했으나 그녀에게서 장기가 새어 나왔다. 다가가면 혼을 빼앗길 것 같았다.

적을 인식하자마자 소피아와 오르디아가 선두에 서서 검을 겨누었다. 커티가 단검을 뽑고 내가 지팡이를 쥔 손에 힘을 주자 천천히 문이 닫혔다.

장기가 우리를 감쌌다. 그에 겁내지 않고 오르디아가 입을 열었다.

"베르나, 너도 여기까지다."

"흥, 배신자가 잘도 지껄이는구나."

베르나가 코웃음 치고 도발적으로 대답했다.

"도망치지 않고 여기까지 온 것은 칭찬해주마. 나의 부하들을 쓰러뜨리고 기고만장하는 것도 여기서 끝이다. 오르디아, 너도 그렇다. 폐하를 배신한 죄, 죽음으로 갚아라."

─레드라스 이야기는 하지 않는군. 마족을 격파할 때, 오르디아가 관여했다는 정보는 공유되지 않았나 보다.

잘된 일이었다. 레드라스를 무찌른 것을 알면 적잖이 경계할 테니.

"그럼 시작해볼까."

베르나가 괴이하게 웃었다. 소피아가 앞장섰다.

나는 곧장 『윙 필드』를 발동해 민첩성을 끌어올렸다. 베르나의 손에서 빛이 나더니 장검이 형성됐다.

소피아는 힘으로 밀고 들어갈 생각인 것 같았다. 오르디아도 뒤를 이었다. 베르나는 웃음을 거두지 않고 두 사람의 공격을 바라보며 정면으로 막았다.

"얕보지 마라."

그녀의 한마디와 함께 검이 맞물리고─ 둘 다 움직이지 못했다.

"연약할 줄 알고 방심했나? 그렇게 약하지는 않다."

모르는 사람의 눈에는 여자가 두 사람의 검을 막고 있는 것처럼 보일 기묘한 광경이 펼쳐졌다. 마족이라서 신체 능력이 높은 데다, 레드라스와 비교해 강해졌다고 판단해도 되겠지.

베르나가 두 사람의 검을 가볍게 밀어냈다. 소피아와 오르디아가 경악할 만한 상황이었다.

그럼 어떻게 해야 하나. 이번에는 오르디아만 접근하고 소피아는 멈춰 섰다. 마법을 쓸 생각인가.

"자, 다음은 어떻게 나올 테냐?"

오르디아의 검이 베르나를 노렸으나 적이 태연하게 받아넘겼다.

그러나 오르디아도 공격당하지 않게 경계하는지 가끔 공격당해도 잘 대응했다.

"—거대한 번개여!"

소피아가 『라이트닝』을 썼다. 오르디아가 얼른 물러나자 번개가 곧장 베르나에게 날아갔다.

"그 힘, 인간으로는 훌륭하나……"

베르나가 검을 휘둘렀다. 원래는 검으로 번개를 막을 수 있을 리가 없으나—.

번개와 날이 부딪쳤다. 그런데도 베르나는 태연하게 검을 옆으로 뿌리쳐 번개를 없앴다!

"나의 힘이 다른 마물과 같을 리가 없지 않으냐?"

"역시 쉽게 죽어주지는 않을 것 같네!"

커티가 마법을 썼다. 화염 속성 『파이어볼』의 상위 호환인 중급 마법 『플레어 밤』— 거대한 화염구가 베르나를 향해 날아갔다.

"안 통한다."

그녀는 냉엄한 목소리와 함께 화염구를 검으로 막았다. 그리고 궤도를 바꿔 커티의『플레어 밤』을 옆으로 날려 보냈다.

속도가 떨어진 채 벽에 부딪힌 화염구가 폭발했다. 굉음이 방을 채웠다. 벽에 피어난 분진이 소피아와 오르디아의 발아래까지 도달했다.

"너희에게는 강력한 마법일지 모르나, 나의 힘에는 통하지 않는다."

베르나는 생김새와 다르게 방어력이 높다. 물리와 마법 방어력 둘 다 높아서 장기전이 되기 쉬운 것도 베르나전의 특징 중 하나였다.

그리고 소피아와 오르디아의 공격을 쉽게 받아친 힘……. 베르나는 땅 속성의 힘을 가졌다. 그 은혜를 입어 신체 능력도 꽤 높은 듯했다.

"두려우냐? 더 큰 절망을 내려주지."

장기가 더 짙어졌다. 드디어 본격적인 전투가 시작됐다. 이 대사는 게임에서도 확인할 수 있었다. 분명히 모든 능력 저하 효과가 있는『카오틱 씰』이 오리라. 나는 얼른 마력을 몸 깊은 곳에서 끌어올려 대응책을 준비했다.

"너희에게 어울리는 결말이다."

베르나의 선고에 오르디아가 달려나갔다. 한 자루의 창처럼 날카로운 돌격이었다. 소피아가 뒤를 이었으나 베르나의 마법이 빨랐다.

"이 힘 앞에서는 누구나 무력해지지."

그때 마법이 발동됐다. 오르디아는 갑자기 날아든 칠흑을 피할 틈이 없었다. 공격이었으면 반응했을지도 모르나 『카오틱 씰』은 위력이 없기 때문인지 예비 동작도 없이 순식간에 발동했다. 베르나에게 가까이 다가가던 오르디아로서는 어쩔 방법이 없었다.

"오르디아 씨?!"

소피아가 외쳤다. 칠흑이 흩어지고 오르디아가 상처 하나 없이 나타났다. 그러나―.

"윽……?!"

몸이 이상한 것을 깨달은 그가 후퇴하려고 했지만, 움직임이 눈에 띄게 둔했다.

"자, 어서 물러나지 않으면 죽는다."

베르나의 찌르기― 목표는 오르디아의 목! 소피아가 재빠르게 엄호했다.

키잉, 쇳소리가 울려 퍼지고 베르나의 검이 튕겨 나갔다. 그 사이에 오르디아는 간신히 뒤로 물러났고 그 대신 소피아가 마족과 정면으로 대치했다.

"무슨 짓을 한 겁니까?"

"나의 힘을 거스르지 못하게 주박을 걸었다."

소피아의 물음에 베르나가 성실하게 대답했다. 오르디아가 권태로운지 어깨를 떨궜다. 호흡도 조금 거칠었다.

"너희 다, 똑같이 만들어주마."

베르나가 선언하고 마법을 쓰려고 한 순간, 나는 오른손을 뻗었다.

능력 저하 마법을 해제하는 『디스펠 매직』. 이 마법으로 내 능력이 밝혀지지 않는다는 것은 이미 검증을 마쳤다. 오르디아에게 사용해서…… 베르나가 쓴 『카오틱 씰』을 해제했다.

그러자 오르디아의 몸에서 나쁜 힘이 입자가 되어 흩어졌다.

"……아니?!"

특기 마법을 해제하자 베르나가 경악했다.

"예상하지 못한 모양이군."

나는 베르나와 눈을 맞추며 입을 열었다.

"아까 쓴 마법, 우리의 힘을 빼앗는 마법이지? 하지만 내 마법으로 효과가 사라졌어."

내 말대로 오르디아는 호흡을 가다듬고 검을 들었다. 상태를 보니 몸의 이상이 완전히 나은 듯했다. 게임과 달리 마법을 해제해도 후유증이 남으면 귀찮았을 텐데, 그렇지는 않아 보였다.

다만, 아직 걱정되는 점이 있었다. 베르나가 『카오틱 씰』을 사용하면 내가 마법을 해제하는 것은 좋으나, 다른 마법을 쓰지 못했다.

조금 전의 공방을 고려하면…… 나는 지팡이를 없애고 다른 무기를 만들었다.

동시에 오르디아가 빠르게 베르나에게 접근했다. 두 자루의 검이 엄청난 속도로 마족을 공격했지만, 적은 가볍게 막아냈다.

"과연, 나의 주박이 통하지 않다니. 허나 너희는 나를 상처 입힐 수 없다."

나는 단정하는 베르나를 향해 새로운 무기— 활을 당겼다.

화살의 궤도를 바꿀 수 있는 『애로우 오퍼레이션』. 위력 자체는 그리 높지 않기 때문에 적에게 피해를 주지는 못했다. 목적은 다른 곳에 있었다.

화살이 힘차게 날아갔다. 베르나가 오르디아의 공격을 막으며 한순간 눈길을 보냈다.

"그런 게 통할 리—"

그 순간, 화살의 궤도가 바뀌었다. 오르디아의 검을 막으려던 베르나의 검— 목적은 검 밑 부분이었다.

파앙, 풍선이 터지는 듯한 소리가 울리고, 베르나는 검의 궤도가 틀어져 오르디아의 검을 막지 못했다.

"아니—!"

이걸 노렸나, 마족의 눈이 깨닫자마자 오르디아의 검이 베르나를 베었다.

"윽!"

베르나는 빠르게 후퇴해 자세를 가다듬으려고 했으나, 오르디아와 교대하듯이 소피아가 접근했다!

소피아는 검날에 마력을 모아 『천충열파』를 썼다. 수행의 성과인지 재빠른 2연속 공격이 베르나가 고통에 찬 신음을 지르게 했다.

공격은 아직 끝나지 않았다. 하얀 충격파를 맞고 움직임이 둔해진 베르나에게 오르디아의 『크로스 글림』이 들어갔다! 마족은 충격파만이 아니라 하얀 빛에 일시적으로 집어 삼켜졌다.

"멋대로 날뛰어대는구나……!"

베르나가 반격하려고 했으나 소피아와 오르디아는 좌우로 갈라졌다. 두 사람도 눈치채고 있었다. 커티와 내가 새로운 공격을 준비했다는 것을—!

먼저 커티의 『블레이즈 레이』가 베르나에게 꽂혔다. 아무리 마법 방어력이 높아도 이것은 중급 마법이다. 마족이 업화에 불타며 비명을 질렀다.

거기에 마무리로 내 화살이 날아갔다. 활 중급기 『페니트레이션』으로, 소피아의 『라이트닝』처럼 적을 관통하는 단발 기술이다.

힘차게 쏘자 하얀 빛이 곧장 베르나의 몸에 꽂혔다. 모두 하나가 되어 공격을…… 아니, 승리를 굳히려고 소피아가 『라이트닝』을 퍼부었고 베르나는 번개에 휩싸였다!

"……너!"

베르나가 울부짖고 위협하려는 건지 장기를 내뿜었다. 소피아와 오르디아는 더 이상 공격하지 않고 일단 물러나 거리를 뒀다.

"상처 입힐 수 없다고 했나?"

오르디아가 여유롭게 말했다.

"어때? 우리에게 공격당하니…… 짜증 나?"

베르나의 얼굴이 일그러졌다. 분노와 증오가 뒤섞였다. 레드라스에 비해 감정 표현이 풍부했다.

그러나 적은 아직 건재했다. 게다가 오르디아가 단독으로 공격해도 통하지 않았으니 적의 허를 찌르는 수법을 마련해야 했다.

나는 다시 활을 겨누고 베르나를 주시했다. 적이 나를 봤다. 특기 마법을 못 쓰게 된 것도, 공격당한 것도 내가 원인이었다. 경계하는 것이 지극히 당연했다.

그런 와중에 오르디아가 달렸다. 이어서 소피아도 움직였고, 커티도 양손을 뻗어 마법을 쓰려고 했다.

베르나는 어떻게 해야 하나 망설이리라. 동료들에게 신경을 쏟으면 내 지원 공격이 날아오고, 그렇다고 해서 나만 경계하면 동료들의 맹공을 막을 수 없었다.

그에 대한 베르나의 대답은 왼팔에 마력을 모으는 것이었다. 새로운 마법인가……!

이 녀석이 쓰는 마법은…… 게임 지식을 끄집어내고 화살에 마력을 더했다.

오르디아와 소피아가 같은 타이밍에 마족에게 달려들었다. 소피아의 검에서 바람을 느꼈다. 오르디아는 다시 『크로스 글림』을 쓸 자세를 잡았다.

베르나는 마법을 쓰려고 한 만큼 허점이 생겨 대응이 느렸다. ……아니, 아니었다!

"루온, 저건 피해를 각오해야……!"

유노가 외침과 동시에 동료들이 공격했다.

먼저 소피아의 찌르기가 들어갔다. 바람을 휘감은 그 공격은 레드라스도 썼던 바람 속성 마도 중급기로, 소피아의 무기가 검이라 명칭은 『블래스트 레이피어』로 바뀐다.

바람이 섞여 보통의 찌르기와 비교가 되지 않는 속도를 얻은 기술이 베르나의 오른쪽 어깨를 꿰뚫었다!

이어서 오르디아가 검을 교차하며 공격했다. 그때, 베르나의 마력이 한층 강해졌다.

만약 마법을 쓴다면 후보는 둘— 어느 쪽이지……?!

"끝이다!"

그렇게 선언한 베르나가 왼손을 들어 마법을 발동했다. 순식간에 그녀의 등 뒤로 바위가 생겨 동료들을 덮치려 했다.

이것은 땅 속성 중급 마법 『그랜드 데토네이션』— 마력으로 바위를 만들어 폭발시키는 마법이었다. 게임에서는 범위 계열 마법에 속하는 마법으로, 자칫 잘못하면 필드 전체를 뒤덮어 버린다.

제대로 당하면 동료들이 위험했다. 그것을 깨달은 순간, 나는 화살을 쐈다.

쏘아 올린 화살 한 발이 공중에서 여러 갈래로 나뉘어 동료들을 지나 베르나의 마법에 꽂혔다!

"이 무슨—!"

마족이 경악했다. 마법으로 만든 바위가 내 화살에 의해 산산이 조각나며 그 자리에서 폭발했다. 동료들은 검을 거두고 회피를 선택했다.

베르나의 마법은 위력을 잃었고…… 동료들을 맞추지 못했다. 대책이 성공했다.

"너, 예상한 거냐?"

베르나가 화가 치민 험악한 표정을 지으며 물었다.

"그냥 준비한 기술이 도움이 됐을 뿐이야."

방심시키려고 대답했으나, 베르나는 받아들이기는커녕 거짓말이라고 판단했는지 나를 노려봤다.

내가 쓴 것은 활 중급기 『샷건 애로우』였다. 화살을 쏘면 여러 갈래로 나뉘어 마물에게 내리꽂는다.

목표는 베르나가 아닌 마법 바위로, 바위 수가 많긴 했지만 내가 퍼뜨린 화살이 전부 꿰뚫었다.

"……너."

저주가 담긴 차가운 목소리가 울렸다. 우리가 전투를 유리하게 끌고 있지만, 레드라스전처럼 방심하지 않았다. 만약 누구 한 명이라도 전투 불능에 빠지면 전세가 뒤집어질 게 뻔했다.

이번에는 소피아가 먼저 나섰다. 베르나의 몸에 두른 장기가 진해졌다. 마법보다 직접 공격해서 전방의 두 사람을 처리하겠다는 뜻이 분명히 전해졌다.

거기에 커티의 마법이— 아까 쓴 『블레이즈 레이』가 날아들었다. 소피아의 공격보다 한 발 빨라서 베르나가 방어로 돌아섰다.

그녀는 살짝 마력을 발산해 마력 장벽 두께를 키워 버렸다. 소피아는 신경 쓰지 않고 공격했다.

눈으로 담을 수 없는 속도로 거리를 좁히고 지금까지보다 빠른 속도로 검을 휘둘렀다. 은빛 검이 번뜩이며 마법을 방어하던 베르나의 장벽을 부수고 베었다.

"이 자식……!"

베르나가 한 걸음 후퇴했다. ……지금 기술은 장검 중급기 『순간의 검』이었다. 위력은 여태까지 소피아가 쓴 기술보다 못하지만, 공격 속도가 다른 기술보다 높아서 피할 가능성이 낮고 크리티컬율이 약간 올랐다.

크리티컬은 뜨지 않았지만, 공격은 성공했다. 또 한 걸음, 베르나는 소멸에 가까워졌다.

그리고 이때라는 듯이 오르디아가 접근했다. 베르나는 첫 번째 검은 막았지만, 지금까지 입은 피해가 쌓였는지 약간 느리게 움직였다.

이제 허점을 노려 공격할 수 있지 않을까— 소피아는 그렇게 판단한 모양이었다. 그녀의 검에서 바람이 일었다. 나는 그것이 『블래스트 레이피어』보다 강하다고 확신했다.

상급 마도기 『풍화영참(風華靈斬)』— 예전에 썼을 때는 주변에 바람의 칼날을 흩날렸지만, 일레이와 수행하고 제어할 수 있게 된 모양이었다.

그때, 오르디아가 달려들었다. 자기가 주의를 끄는 동안 공격하라는 작전이 분명했다. 소피아는 작전을 따랐다. 바람이 그들의 계획대로 베르나를 찔렀다!

질풍이 일어나 베르나의 주변에 작은 회오리까지 생겼다. 그야말로 완벽한 공격이었다!

"……예상외로군. 설마 이 정도일 줄은."

베르나가 물러나며 중얼거렸다. 표정에서 놀라움이 사라지고 대신 눈빛이 호전적으로 바뀌었다.

"하지만 아직 끝나지 않았다."

나는 이 전투의 끝이 얼마 남지 않았다는 것을 깨달았다. 이 대사는 게임에서 적의 남은 HP가 적어지면 나오는 대사였다.

나는 호흡을 가다듬었고…… 그 사이, 소피아와 오르디아가 달려나갔다. 베르나는 장기의 농도를 좀 더 짙게 올리고 자세를 잡았다.

동시에 전신의 마력을 부풀렸다. 남은 마력으로 강화하고, 동료들의 공격을 막거나 아까처럼 일부러 맞고 공격할 속셈인가.

동료들은 그래도 돌진했다. 어쩌면 두 사람 다 예감했을지도 모른다. 지금이 전투의 결말을 지을 순간이라는 것을—.

나는 활을 들고 마법을 준비했다. 이 상황에는 『카오틱 씰』을 쓰지 못하리라. 그렇다면…… 그 순간, 동료들의 검이 베르나에게 닿았다.

적은 일부러 피하지 않았다. 역시 피해를 각오하고…… 하지만 그 방법은 통하지 않아!

베르나가 공격했다. 목표는 소피아였다. 나는 그 동작을 지켜보고 소피아에게 방어력 상승 마법 『프로텍션』을 걸었다.

소피아가 공격을 피하려고 했다. 그러나 마족의 검날에서 하얀 빛이 날아왔고 그녀는 그것을 검으로 막았다.

그 여파로 충격파가 생겼다. 하얀 빛 같은 그것이 소피아를 집어삼키려고 했지만, 내가 걸어둔 마법에 깨끗이 사라졌다.

"아니—?!"

베르나가 당황했다. 나는 『애로우 오퍼레이션』을 쏴서 응했다.

마족이 내 화살을 봤다. 그러나 두 사람에게 공격당한 충격이 가시지 않은 마족에게는 피할 방법이 없었다.

목표는 베르나의 정수리……! 파앙! 경쾌한 소리와 함께 베르나의 힘이 떨어졌다.

거기에 오르디아가 공격을— 레드라스전보다 세련된 5연타, 『엣지 플러드』를 퍼부었다!

"—용의 힘을 받은 바람이여, 저 적을 멸하라!"

이어서 소피아가 외쳤다. 바람이 일어나 베르나에게 불어닥쳤다.

이것은 바람 속성 중급 마법 『드래곤 클로』……! 이름처럼 바람이 용의 발톱을 본뜻 듯 날카롭고, 대상을 잘게 찢는 마법이었다. 마족은 그 공격을 정통으로 맞고 마침내 완전히 움직임을 멈췄다.

베르나가 울부짖었다. 간신히 목소리라고 인식할 수 있는 소리였다. 그것에 그녀를 고무하는 의미도 있다고 생각했다.

마족은 검을 휘둘렀다. 포효하며 휘둘렀으나 아까와 같은 기세는 없었다. 오르디아가 정면으로 받아넘겼다.

처음에는 두 사람을 한 번에 밀어낸 공격이었는데…… 지금은 그러지 못할 정도로 힘이 없었다.

"오르디아 씨!"

다음은 커티— 오르디아가 얼른 옆으로 피함과 동시에 모든 마력을 담은 『블레이즈 레이』가 베르나에게 쏟아졌다!

베르나가 절규했다. 퍼부어진 화염에 몸을 삐걱거리며 비명을 질렀다.

거기에 소피아가 뛰어들다시피 접근했다. 검신에 마력을 모아서 『청류일섬』— 결정타를 날렸다.

다음 순간, 업화가 사라졌다. 그곳에는 멍하니 서 있는 베르나만이 남았다.

그리고—.

"……나, 는."

베르나의 중얼거림과 함께 그녀의 몸이 무너져 내렸다.

해냈다고 마음속으로 중얼거렸을 때, 나는 베르나의 몸에서 마력이 새어나오는 것을 알아차렸다. 베르나는 마지막 힘을 쥐어짜서 땅속으로 마력을 보내고…… 그대로 소멸했다.

"이겼다……."

커티가 믿을 수 없다는 표정을 지었다. 소피아는 숨을 내쉬었고 오르디아는 방심하지 않고 먼지가 된 베르나를 끝까지 관찰했다.

끝나고 보니, 부상자가 없는 전투였다. 위험한 상황이 여러 번 있었지만, 그때마다 대처할 수 있었다. 특히 베르나의 비장의 카드인 마법 공격을 막아서 이 결과를 불러들인 것이 틀림없었다.

온몸의 힘을 뺐다. ……그러자 베르나가 있던 곳에 갑자기 둥글고 밝은 빛이 생겼다.

"뭐지……?"

커티가 중얼거렸다. 모르는 게 당연해서 설명하려고 입을 열었는데 다음 순간, 소피아의 옆에 레핀이 나타나 말했다.

"마족이 가진 특수한 힘…… 마족 본래의 힘은 아니지만."

"다른 마족과 싸웠을 때도 같은 빛이 나타나 소피아 씨가 품었다."

오르디아가 말을 이었다. 커티는 이해한 모양이었다.

"다들 이미 봤구나……. 그럼 이걸 또 소피아 씨가……?"

"어떤 힘인지 분명하지 않은 점도 있지만, 그래야지."

오르디아가 말했다. 커티의 앞에서 직접적으로는 언급하지 않으려는 것 같았다.

"빛을 품어서 힘이 세진다면…… 한곳에 집중시켜야 해."

"그렇죠."

소피아가 동의하고 나를 봤다. 내가 말없이 고개를 끄덕이자 소피아가 천천히 빛으로 다가갔다.

이거로 두 개째……. 어쨌든 최종적으로 소피아가 힘을 가질 수 있게 돼서 다행이었다.

소피아는 빛을 만져서 몸에— 그때, 예상치 못한 일이 일어났다.

빛이 소피아의 몸으로 빨려 들어가— 등으로 나왔다.

"……어?"

설마 했던 통과…… 나도 모르게 얼빠진 소리를 내고 말았다.

"어라?"

레핀도 놀랐다. 빛은 둥실둥실 공중을 떠돌았다.

"흡수되지, 않네?"

나는 반쯤 넋이 나갔다. 잠깐만, 레드라스 때는 몸속에 쏙 들어갔는데 왜 여기서는 같은 일이 일어나지 않지?

한편, 레핀은 소피아와 빛을 번갈아 봤다. 왜 이렇게 됐는지 이유를 생각 중인 것 같은데…… 그때, 뭔가를 깨달았는지 표정이 바뀌었다.

"이건, 어쩌면……."

"이미 빛을 가졌으니 더는 불가능하다는 건가요?"

소피아가 질문했다. 현자의 힘을 품을 수 있는 한도가 있나? 아니, 게임에서는 주인공들이 모든 빛을 단독으로 가져갔었는데…… 현자의 핏줄이긴 해도 주인공이 아닌 소피아는 불가능한 건가?

의문이 치솟는 와중에 커티가 의견을 냈다.

"그냥 짐작인데 마력 거부 반응이 아닐까?"

"……거부요?"

"마력은 사람마다 달라. 소피아 씨와 빛의 상성이 나빠서 몸에 들어가지 않은 거지."

상성— 현자의 핏줄이기에 몸속에 넣지 못하는 경우도 있다고? 레드라스전 때, 소피아의 몸에 들어간 것은 우연이었나?

어떡하지……. 그러나 빛은 생각할 시간을 주지 않았다.

둥실둥실 떠 있던 빛이 무언가에 이끌리듯이 오르디아에게— 아니, 잠깐만!

외치려고 했지만, 이미 늦었다. 빛은 그대로 오르디아의 몸으로 들어가…… 사라졌다.

"……내가 선택된, 건가?"

그도 놀란 상태였다. 소피아는 리엘에게 이야기를 들어서 별다른 반응을 보이지 않았지만, 나는 달랐다.

원래 소피아에게만 현자의 힘을 모을 생각이었다. 그러나 뜻밖의 전개가 되고 말았다.

이것은 현자의 힘이 한 사람에게 깃드는 패턴이 아니라 각각의 주인공에게 깃드는 패턴이 분명했다. 즉, 마왕이 쓰는 대륙 붕괴 마법『라스트 어비스』가 발동하고 만다.

일이 최악으로 흘러갔다. ……탄식해봤자 소용없었다. 어떻게든 해야 했다.

"―무사한가?!"

모두 침묵하던 중, 뒤에서 발자드의 목소리가 들렸다. 돌아보니 문을 열고 우리의 상태를 살피는 그와 병사들이 보였다.

"마족은 무찔렀습니다. 마물들은요?"

소피아가 대표로 말했다. 발자드가 우리 상태를 보고 안도하는 표정을 지었다.

"갑자기 사라졌다. 그래서 이리로 달려왔지."

"성 밖에 있는 마물들도 아마 사라졌을 겁니다."

내가 언급하자 발자드가 고개를 크게 끄덕였다.

"음, 그렇겠군. ……확인하러 갈까."

중간에 성 안에 있던 병사들과 합류하며 밖으로 나갔다. 성 주변에 마물들이 사라져서 열광하던 병사들이 우리를 따뜻하게 맞아줬다.

"기분이 나쁘지는 않은데?"

커티가 중얼거렸다. 유노도 병사들의 갈채가 싫지 않은 눈치…… 아니, 넌 안 싸웠잖아.

"루온 공, 텐트로 돌아가지. 여기는 내가 어떻게든 마무리 짓겠다."

발자드가 말했다. 시선을 맞추니 그가 다 이해하는 듯이 깊이 고개를 끄덕였다.

"감사합니다."

"……그런데 루온 공과 동료들 이야기를 꺼내지 않으려면 그쪽이 세운 무공을 내가 갖게 된다만."

"상관없어요."

나는 가볍게 승낙했다. 다른 동료들을 보니 모두 괜찮다고 고개를 끄덕였다. 커티는 조금 아쉬워하는 눈치였다.

"루온 씨, 이쪽이야."

리엘이 다가와 손짓했다. 우리는 발자드가 병사들에게 사정을 설명하는 동안, 얼른 성 앞을 벗어났다.

숲으로 들어간 뒤로는 편했다. 이대로 텐트까지 가면— 그때, 내 시야에 낯익은 인물이 들어왔다.

"—앗!"

옆에서 걷던 소피아가 놀라는 소리가 들렸다. 바로 앞에, 아직 우리를 알아차리지 못한 에이나가 있었다.

"소피아, 미안한데 먼저 가줘."

소피아가 작게 고개를 끄덕였다. 아직 만나서는 안 되니 소피아가 들키지 않게 내가 움직여야 했다.

"나도 인사할래."

커티가 따라왔다. 나는 그녀와 함께 에이나에게 갔다. 한편, 소피아는 오르디아를 데리고 가던 길을 갔다.

에이나에게 다가가니 다른 기사단 사람들이 앉아서 쉬는 모습이 보였다. 꽤 힘들었던 모양이다.

"……에이나."

나는 소피아가 충분히 멀어진 것을 확인하고 이름을 불렀다. 에이나가 바로 고개를 돌렸다.

"루온 공! 무사했나! 그리고, 커티……?!"

"안녕, 인사하러 왔어."

"그런가……. 무사해서 다행이다."

"에이나, 그쪽은 괜찮아?"

"기사단은 희생자가 없다. ……루온 공의 계획이 잘 통한 덕분이지."

"아니, 내가 주도한 게 아니라—"

"뭐, 마족과 싸웠잖아. 열심히 한 거지."

커티의 참견에 나는 쓴웃음을 지었다. 그러자 에이나의 눈빛이 바뀌었다.

"마족과……?! 그게 사실인가?!"

"아, 어, 그게……."

"가능하면 마족에 대해 가르쳐주길 바란다. 우리는 정보가 부족하다."

"필사적이네, 에이나 씨."

유노가 내 어깨에 올라 말하자 그녀가 고개를 깊이 끄덕였다.

"마족과 싸우는 데 정보는 귀중하니까."

"……루온, 말해주지그래?"

"응, 나는 상관없어. ……커티, 먼저 가줄래?"

"응, 알았어. 에이나 씨, 또 어디서 만날지도 모르니 그때는 잘 부탁해."

"그래, 물론이다."

두 사람이 악수하고 헤어진 뒤— 나는 에이나에게 말했다.

"그런데 말할 게 별로 없어."

"상관없다. ……정말 고맙다."

절실한 마음이 전해졌다. 그 태도에 나는 에이나에게 많은 정보를 전달하기로 했다.

큰 전투가 끝을 맞이했다. 나는 저녁이 되어서야 에이나와 헤어졌다. 텐트로 돌아오니 동료들이 쉬고 있었다. 발자드는 없었다.

"아까 전령이 왔습니다."

내 의문에 소피아가 대답했다.

"발자드 씨가 잘 수습해서 모험가와 함께 마족을 격파한 것으로 됐습니다. 모험가의 이름은 밝히지 않기로 했고요."

"그렇구나."

"그런데 루온 님이 숲속에서 병사들을 도운 일이 제법 퍼진 모양이라……."

"……그래."

아예 앞으로는 가명을 쓰자는 생각이 머리에 스쳤다.

"루온 님, 의연하게 받아들여 주세요."

"응?"

"마족과 싸우는 이상, 언젠가 이렇게 될 줄 알았습니다. 이름이 알려지면 이번보다 잘 대처할 기회가 늘어날 테니 이걸로 됐다고 생각합니다."

"확실히 모험가들에게 인정받으면 활동하기 쉬워질지도……."

소피아의 말을 커티가 받았다.

"그건 즉, 루온의 생각이 더 반영되게 된다……. 정세가 이러니까 유명하면 도움이 되기도 할 테고 뭐, 잘 된 거 아니야?"

……과대평가 같은데. 나는 어디까지나 전생의 게임 지식을 이용했을 뿐이다. 앞에 나서게 되면 시나리오에 폐해가 생기지 않을까……? 의문이 들지만, 지금은 지켜봐야 할 뿐인가. 숲에서는 나 혼자 움직여서 소피아가 알려질 일이 없는 게 다행인가.

소피아와 커티의 의견은 일리가 있으니 받아들이자.

"……그래."

그리고 속으로 앞으로의 일을 생각했다.

5대 마족 중 둘을 격파했다. 남은 것은 셋. 시나리오대로 진행하면 이 중 둘을 무찌르면 마물이 대륙 남부에서 밀고 들어오는 침공 이벤트가 발생한다. 앞으로는 다른 주인공들이 남은 5대 마족과 관련된 이벤트를 하는지도 포함해서 관찰을 강화하자.

그리고⋯⋯ 큰 문제가 생겼다. 현자의 힘이 소피아와 오르디아로 분산되고 말았다. 이 일로 시나리오는 마왕이 마법을 써서 대륙이 붕괴하는 쪽으로 흘러가게 됐다. 게다가 마왕도 강해진다.

이렇게 전개되면 마왕은 현자의 핏줄이 아니면 공격이 통하지 않는다. 다만 이 점은 소피아와 오르디아가 강해지면 충분히 대처할 수 있었다. 문제는 대륙 붕괴 마법『라스트 어비스』였다.

내가 아무리 강해진들 어차피 인간이다. 혼자서는 대응할 수 없다. 제대로 된 계획이 필요했다. 그러기 위해서는—

"루온 님, 앞으로 어떡하시겠습니까?"

소피아가 물었다. 나는 생각을 끊었다.

"일단 고향으로 돌아가자⋯⋯."

"나도 같이 가도 될까?"

오르디아가 물었다. 나는「물론」이라고 대답했다.

그는 빛이 깃들어 생각이 많을 텐데 소피아에게 빛에 관해 물어보지는 않았다. 전투가 막 끝나서 아직 머릿속이 정리되지 않았나?

이에 관해서는 다시 자리를 마련하기로 하고…… 일단은 텐트에서 돌아갈 때를 기다리기로 했다.

제16장 신령의 계획

남은 병사들이 토벌 뒤처리를 하는 동안 우리는 발자드가 소유한 마차를 타고 고향으로 돌아왔다. 우리의 속도보다 소문이 퍼지는 게 빨랐는지, 돌아왔더니 마물을 토벌했을 때처럼 마을 사람들이 다가왔다.

"야, 루온! 아가스톨 남작님의 부대를 이끌었다며?!"

"아니야, 남작님과 같이 마족을 무찔렀어!"

"아니, 나는 전장을 휩쓸며 마물들을 죽였다고 들었는데?!"

……그리고 사실이 곡해돼 있었다. 마물 토벌 일을 캐묻지 않는 것을 보니, 소문이 돌며 살이 붙었나?

"어떻게 할까요?"

소피아가 물었다. 음, 자세히 말하느냐, 마느냐?

"괜찮지 않을까? 해가 되는 것도 아니고."

커티가 웃으며 말했다. 그때, 발자드가 마차에서 나와서 마을 사람들이 「오오오!」하며 술렁거렸다.

"남작님……!"

"정보가 뒤섞인 것 같으니 내가 말해주지."

당사자에게 들을 수 있다니 마을 사람들이 침묵했다.

"자세히 말할 수는 없지만, 루온 공은 마족과의 전투에 크게 공헌했다. ……나도 매우 감사하고 있다. 부디 공을 치하해 주게."

발자드의 말에 주변 사람들이 「잔치다!」라고 소리 지르며 소란 떨기 시작했다. 아니, 저기요…….

"좋지, 뭘 그래."

유노가 즐거워하며 내게 말했다.

"자, 주인공이니까 갔다 와."

……술집에서 통째로 술을 내오기까지 했다. 휘말렸다가는 엄청난 일을 당할 것 같은데……. 하지만 내가 하지 말라고 외쳐도 멈추지 않을 테고…… 그때, 사라와 일레이가 다가오는 게 보였다.

"아, 사라랑 일레이 씨."

"활약했네, 영웅 양반."

……입가에 미소를 그리는 것이, 기뻐 보였다.

"마물 토벌만이 아니라 마족과의 전투에서도 성과를 올렸다고? 이야~, 역시 내 제자다."

"……감사합니다."

"길드라든가, 일 저지른 거 없애줄 거야?"

유노가 물었다. 야, 잠깐만!

"아니, 이것과 그건 다른 문제다. 그래, 지금부터 처리할까?"

"봐, 봐주세요."

"농담이다, 농담. 자, 낮부터 공공연하게 술을 마실 절호의 기회다. 즐기지 않으면 안 되지."

"힘내~."

사라가 손을 흔들었다. 귀찮으니까 참여하지 않을 셈이로군.

"아, 소피아 씨는 이리 와. 빵가게의 제미 씨가 걱정했으니까 얼굴을 보여드려."

"네, 알겠습니다. 루온 님, 죄송하지만 저는 마을 분들께 인사드리고 오겠습니다."

……일레이와 어울리면 큰일 날 거라 생각하고 도망친 건가? 음, 수행 중에 자주 얽혔을 테니 내 말이 맞을 거다.

소피아가 휘말리지 않아서 다행인가……. 그런 생각을 하며 나는 마을 사람들 속으로 들어갔다.

그 후로 밤이 되도록 시끌벅적했다. 마을 사람들도 마왕이 습격한 뒤로 부정적인 정보뿐이라 울분이 쌓였으리라. 그런 상황에 마족을 격파 ─ 그것도 동향 사람이 연관됐다 ─ 했으니, 우울함을 거두려고 마셔대는 게 자명한 이치였다.

나는 떠들썩한 장소의 중심에 있느라 정신적으로 지쳤다. ……참고로 술은 마시지 못한다며 입에 대지 않았다. 근본적인 이유는 괜히 취했다가 쓸데없는 말을 하면 주워 담을 수 없기 때문이었다.

다른 동료들은…… 소피아는 사라와 함께 마을을 돌아다니는지 내가 있는 곳에는 오지 않았다. 음, 현명하군. 발자드는 일이 있다며 잔치에는 불참했다. 표면상 그가 주역이지만, 마을 사람들도 남작은 어려운지 붙잡으려 하지 않았다.

리엘은 권해오는 술을 거절할 이유가 없었는지 조금이나마 마시다가 저녁 무렵에 자리를 떴다. 오르디아는 술집에 들어가기 전에 나와 잠깐 대화를 나누고 숙소에 들어가 꼼짝하지 않았다. 자는 모양이었다. 이렇게 떠들썩한 자리가 불편한가 보다.

그리고 커티는 내 근처에서 신나게 놀았다. ……그냥 노는 정도가 아니라 마을 사람들과 술내기를 벌였다.

"……말이 돼?! 이걸로 5연승이라고!"

커티는 술꾼인지 마을 남자들이 상대가 못됐다. ……색다른 면을 봐서 재미있었다.

커티는 5연승을 하고 술내기를 멈추더니 내 옆자리에 앉았다.

"루온, 잘 마시고 있어?"

"아니…… 술 못 마셔."

"아, 그렇구나. 아~ 이렇게 노는 거 오랜만이야."

아직 여유로워 보이는 커티가 손을 파닥파닥 흔들고 웃으며 말했다.

"루온은 이제 어떡할 거야?"

"……생각 중인 게 있어. 커티는 어쩌려고?"

"일단은 나도 어떡할지 정해놨어."

생각이 아니라 정했다, 라……. 대충 예상이 돼서 묻지 않았다.

"루온, 나도 열심히 할 테니까 너도 힘내."

"물론이야."

"이봐! 다음은 나야!"

다른 남자가 선전포고했다. 커티는 「바라던 바다!」라며 대전 상대와 마주 앉았다.

모두 그들에게 집중한 것 같아서 나는 슬쩍 자리에서 일어나 카운터석으로 갔다. 그곳에는 일레이가 앉아 있었다. 아까까지만 해도 커티처럼 놀았는데 지금은 혼자서 홀짝홀짝 마시고 있었다. 처음부터 전력으로 놀면 지칠 법도 한가?

"일레이 씨."

옆에 앉자 그녀는 나를 곁눈질로 확인했다.

"오, 루온. 빠져나왔냐?"

"덕분에요. 다들 잔치를 벌인 취지를 잊었네요."

"그런가? ……너도 성장했구나."

"성장이요?"

"설마 이렇게 열심히 할 줄은……. 예상을 벗어나도 너무 벗어났어."

"……제 의지를 말씀하시는 거예요? 아니면 실력의 의미로?"

"둘 다."

일레이가 잔을 내려놨다.

"그런데 안 마시나?"

"네, 못 마셔요."

"주역인데……. 작은 천사는 마셨는데 말이다."

"네?!"

유노가?! 괜찮은 거야?!

카운터석을 둘러보니 일레이 뒤쪽에 있는 테이블에 유노가 엎드려 자고 있었다.

"유노, 괜찮아?"

"……으어……."

천사가 엎어진 채로 끙끙댔다. 음, 글렀군.

"일레이 씨, 이러지 마세요."

"관심 있어서 먹여봤는데…… 흠, 천사님도 취하는군."

일레이가 깔깔 웃었다.

"루온, 앞으로 어떡할 거냐?"

"……처음에는 일레이 씨께 가려고 했는데 그 목적은 이뤘으니 선택지는 두 개네요."

"두 개?"

"소피아는 4대 정령과 계약하려고 해요. 남은 건 둘. 그중 운디네와 계약하거나…… 아니면 달리 가고 싶은 곳도 있고요."

잔치를 벌이기 전에 오르디아와 잠깐 이야기한 게 이것이었다. 소피아의 허락을 받아야 하지만…… 아마 정령과 계약 전에 그곳에 갈 것이다.

"운디네의 거처로 간다면 진로는 남쪽인가."

"네. ……아니면 더 남쪽으로 가서 루나레이트까지 가는 것도 괜찮지 않을까 해요."

"루나레이트…… 대장간이 많은 마을이잖아. 소피아의 검을 벼리거나 새로 사려고?"

베르나전은 간신히 어떻게 됐다. 그러나 지금 가진 검으로는 언젠가 한계가 온다. 지금 걸맞은 무기로 바꿔야 했다. 소피아도 강해졌으니 힘을 충분히 발휘할 수 있는 무기가 필요했다.

"괜찮은 선택지이긴 한데……."

"네, 왜 그러세요?"

"마족을 정벌해 일단락 지었는데 표정이 심각하구나."

……무조건 기뻐할 수 있게 진행되지 않았으니까. 얼굴에 드러내지 않으려고 했는데 일레이는 다 보이는 모양이었다.

"생각할 게 있어서요."

"흐으음, 그래……. 너무 깊이 생각하지 마라. 전쟁은 아직 끝나지 않았지만, 오늘 하루쯤은 다 잊어버려."

일레이가 자리에서 일어나 크게 기지개를 켰다.

"자, 따분한 제자와는 헤어지고 다시 한 번 놀아볼까."

일레이는 떠났다. 나는 그녀를 배웅하고, 쓰러진 유노에게 말을 걸었다.

"유노, 정말 괜찮아?"

"……어어."

유노가 천천히 일어나 날아올랐다.

"정말 괜찮은 거 맞아?"

"뭐, 어찌어찌."

아닌 것 같은데…… 유노가 괜찮다니 믿어야지.

자, 드디어 풀려났다. 적당한 때니 그만 물러나자. 유노가 오른쪽 어깨에 앉자 나는 살금살금 술집을 나섰다. 그리고 우리 집으로 쭉 가다가— 소피아를 발견했다.

"아, 루온 님."

"아, 소피아. 인사는 다 했어?"

「네」 하고 미소 짓는 소피아의 모습이 달밤과 무척 잘 어울렸다.

집으로 돌아가자고 하려던 때, 갑자기 유노가 날아올라 소피아에게 다가갔다.

"유노? 아, 술 냄새가 나네요."

"일레이 씨가……."

"레핀에게도 먹이려고 하셨어요."

그 양반이 그런 짓을 했어?

"오늘은 이만 자죠."

"응……."

유노가 공중에서 멈췄다. 상태가 이상한데?

"유노? 왜 그래요?"

"……있잖아."

따지는 말투였다. 나는 유노가 많이 취했다고 생각했다. 취하지 않았으면 태도가 이럴 리 없었다.

"신경 쓰이는 게 있습니까?"

소피아가 정중하게 대답했다. 나는 왠지 안 좋은 예감이 들었다.

"소피아, 이제 그만 각오를 다져."

"……각오?"

소피아가 진지한 이야기인 줄 알고 귀를 기울였다. 아니, 아니야. 그건—.

"그래, 잘 생각해 봐. 루온의 고향이고 소꿉친구까지 있잖아. 여기서 안 당기면 루온 빼앗긴다?"

……기운이 쭉 빠졌다. 이 녀석, 역시 취했구만.

"알겠어? 소피아. 나는 네가 자기 자신에게 더 솔직해졌으면 좋겠어."

"저, 저기, 유노?"

"이 달밤에 고백하는 것도 좋지! 자, 소피아! 한다면 지금이야!"

유노가 엉망진창으로 응원하며 옆으로 비키는 바람에 소피아와 정면으로 마주쳤다.

어떻게 하지……. 한편, 소피아는 당황했다.

상황을 이해하지 못했나? 라는 생각이 들었을 때, 드디어 소피아가 깨닫고 허둥댔다.

"유, 유노! 전부터 말했지만, 저는—."

"아~니, 커티 씨와 사라 씨가 추궁하면 계속 부정했지만, 소피아는 자신을 속인 거야. 반지 받고 엄청 기뻐했잖아."

"그, 그건 그냥 반지가 마음에 들어서 그런 거예요! 다른 뜻은 없습니다!"

"그럼 루온에게 안겼을 때는? 기운이 났다고 했잖아. 내심 기뻤지?"

"봐, 봤습니까……?!"

"당연하지."

엿듣고도 당당한 천사를 보고 나는 속으로 한숨을 내쉬었다.

"그, 그건…… 그, 그렇게 이래저래 위로받으면 기운이 났다고 말하는 게 지극히 당연하지 않습니까?"

"그래도~ 동료여도 갑자기 끌어안았는데 싫어하지 않고 그대로 있었다는 건 뭔가 있었다는 거잖아~?"

몰아붙이지 마, 유노…… 제발 부탁이야.

"호감이 있으니까 그렇게 안기고 기뻤던 거잖아~?"

"저, 저기…… 그래요. 저는 루온 님이 당시의 제 마음을 받아주고 제대로 대화해줘서 그런 겁니다."

"위로해줘서 기뻤던 거지 안겨서 그런 게 아니라고?"

"그, 그렇습니다."

"그럼 요리를 배운 거는?"

"종자가 도움이 되고자 하는 것은 당연한 일입니다."

……웃지 마, 웃으면 안 된다, 나!

이렇게까지 억지를 부리니, 내게 별다른 감정이 없어…… 보이는 게 아니라 필사적으로 말을 만드는 게 역력히 보였다.

전에 유노가 「내 태도가 바뀌지 않아서 자기 마음을 깨닫지 못했다」고 했었다. 소피아는 유노의 말처럼 인식하고 자신의 호감을 인정하지 않으려는 것 같았다.

무엇보다 이렇게 변명하는 데는 입장 문제도 있었다.…… 나라를 빼앗긴 몸이라고 해도 소피아는 왕녀. 우리 사이에는 동떨어진 벽이 있다. 소피아도 그것을 알기에 발을 들이지 않았다. 그런 소피아에게 유노는 불만이 생겼고 이렇게 말싸움으로 번졌다. ……하지만 계속 이대로 있을 수는 없었다.

"유노, 그쯤 해둬."

"으…… 루온, 뭐라고 좀 해봐."

"유노…… 우리는 동료야. 이유는 이걸로 충분하잖아."

"마, 맞습니다, 유노."

소피아가 얼른 거들었다. 유노가 불만스러운 표정을 지었다.

"야아, 레핀."

그리고 대뜸 정령의 이름을 불렀다.

"레피인~."

"……왜?"

소피아의 옆에 정령이 나타났다.

"레핀, 뭐라고 좀 해봐. 레핀은 감정을 읽을 수 있으니까 소피아가 어떻게 생각하는지 알잖아?"

"마음의 소리를 대변할 생각은 없어."

"으, 이런 상황이 이어져도 괜찮아? 이런 건 확실하게 결판을 내야 한다고 생각해."

유노가 물고 늘어졌다. 레핀은 입가에 손을 대고 생각에 잠겼다.

소피아의 얼굴이 긴장으로 물들었다. 나도 마음속으로 생각했다. 부탁이니까 이 이상 악화시키지 말아줘.

"……유노, 이건 개인의 문제이고 그들이 판단할 일이야. 우리가 나설 자리가 아니야."

엄격한 한 마디에 유노는 더 공격해봤자 무리인 것을 깨달았다.

"……알았어."

유노는 몹시 아쉬워하며 물러났다. 소피아가 안심해 가슴을 쓸어내린 후, 나를 보며 마른 웃음소리를 냈다.

"아, 아하하…… 루온 님, 수선 피워서 죄송합니다."

정말 기습에 약하구나. 속고 싶어도 속을 수가 없어……. 캐문기 가여우니까 이 이야기는 여기까지 하자.

다시 기분 전환하고 집으로 돌아가려는데 누군가가 불러 세웠다.

"아! 야, 루온!"

사라였다. 눈을 돌리니 부드럽게 웃는 소꿉친구가 보였다.

"마침 잘 됐다. 할 말이 있어."

"……할 말?"

"아, 아쉽게도 로맨틱한 상황은 아니야."

"알거든? 무슨 말인데?"

"내일 여행 떠나지? 지인들한테 인사 정도는 하라고."

……순간 귀찮았지만, 기회가 없을 테니 해야겠다.

"알았어. 소피아, 인사하고 올게."

"저는 먼저 집으로 돌아가겠습니다."

소피아는 유노와 함께 집으로 향했다. 그러자 사라가 내게 손짓했다.

나는 조용히 따라갔다. 잠시 뒤, 인기척 없는 공터에 도착했다.

"……야."

"아, 미안. 지인들은 이미 술 취해 쓰러졌어."

"대충 둘러대고 데려온 거야? 대체 무슨 말을 하려고?"

"소피아 씨 이야기."

사라가 팔짱을 끼고 진지한 눈으로 나를 보고 섰다.

"루온은 그 사람을 어떻게 생각해?"

"……물어봐서 어떡하려고?"

"소피아 씨와 지내면서 무척 좋은 사람이라는 걸 알았거든. 루온이 어떻게 생각하는지 듣고 때에 따라서는 걸어차려고."

……히죽거리는 게 얄미웠다. 나는 깊은 한숨을 내쉬었다.

"유노가 아까 그런 일로 엮었다고."

"응, 다 들어서 알아."

"야!"

이 녀석이……. 불평하려고 했지만, 사라는 당당했다.

"들리는데 어쩔 수 없잖아. ……그래서 어떻게 생각하는데?"

대충 얼버무리면 끝난다. 하지만―

"……소피아는, 여러 사정이 있어."

"응, 알아."

"어떻게 생각하느냐면 소중한 동료라고 대답할게. 그 이상은 기대하지 마."

"소피아 씨의 입장과 관련 있어?"

"그래."

사라의 미묘한 표정을 보니 원했던 대답이 아닌 모양이었다. 그러나 사라는 아무 말 하지 않았다. 그 대신—.

"사실 그 일로 소피아 씨를 찔러봤어."

"저기요……."

"결국은 빠져나갔지만. 이야기를 들어보니까 소피아 씨는 루온이 말한 것처럼 사정이 있어서 솔직해지지 못한다는 걸 알겠더라."

사라가 당돌하게 웃었다.

"소피아 씨와 루온 사이에 있는 방해물을 떨쳐내는 건 이만 저만한 일이 아니야."

"……무슨 말을 하고 싶은 건데?"

"혹시 루온이 소피아 씨와 이어지고 싶다면 효과적인 방법 을 가르쳐줄까 해서."

설마 그걸 전하려고 데려온 거야?

"소피아 씨가 어디 사는 귀족 영애인지, 이름 있는 명가 출 신인지, 그것도 아니면 왕족인지…… 그건 그렇다 치고, 모험 가인 루온이 아무리 애써도 함께 할 수 없는 상대인 건 예상 할 수 있어."

실제로 그랬다.

"그런데 지금이라면 한 가지 방법이 있어."

"그게 뭔데?"

"소피아 씨의 지위에 뒤지지 않을 정도의 무공을 세우면 주 변에서 무조건 인정할걸?"

무슨 말을 하려는 건지 알겠다. 실제로 그렇게 될지는 모르겠지만.

"참 얄궂지. 마왕 습격은 비참하지만…… 상황이 이러니 누구나 출세할 수 있어."

"……얄궂긴 하네."

나는 어깨를 으쓱하며 사라에게 대답했다.

"사라가 하고 싶은 말은 알겠어. 참고할게."

"그래, 다음에 올 때는 부모님께 인사드리려나?"

"사라, 놀리는 거지?"

나는 하하하 웃는 사라를 살짝 노려봤다. 그때, 뒤에서 발소리가 들렸다.

돌아보니 일레이가 있었다.

"어? 무슨 일이세요?"

"사라에게 너를 여기로 데려오라고 부탁했어."

제법 마셨을 텐데도 그녀는 똑바로 서 있었다. 취하지는 않았군.

"루온, 검은 마법으로 만든댔나?"

"소피아가 말했나요? 네, 그런데요."

"지금 해봐라."

그녀가 천천히 검을 뽑았다. 무슨 일인가 생각하며 나는 마법검을 손에 들었다.

"스승으로서 마지막으로, 네 검을 받아보고 싶어서 말이다. 전력으로 와라."

일레이만의 작별인사인가……. 나는 작게 고개를 끄덕이고 천천히 검을 겨누었다.

한순간, 바람 소리 말고는 아무것도 들리지 않았다. 상반신을 내밀 듯 자세를 잡은 일레이에 맞서 나는 요격 태세를 갖췄다.

그 순간, 그녀가 발을 내딛었다. 유려한 거리 좁히기. 이것이야말로 숙련의 성과였다. 옛날에는 꼼짝도 할 수 없었던 민첩한 동작이었다.

그러나 지금은 쉽게 대응했다. 일레이가 아래에서 위로 검을 휘두름과 동시에 나는 그 흐름을 확인하고 검을 휘둘렀다.

날이 교차했다. 일레이의 공격은 거셌다. 상대가 사라나 소피아였어도 막기 어려웠으리라.

그러나 나는 막았다. 신체 강화— 일레이에게 이길 정도로만 팔에 걸고 검을 휘두르며 기세를 죽이지 않고 그녀의 검을 막았다.

일레이의 검이 밀려나 바닥에 끝이 닿았다. 그녀는 약간 저항했지만, 검이 꼼짝하지 않자 탄식했다.

"……네게 더 이상 가르칠 게 없다."

검을 거두었다. 내가 검을 없애자 일레이가 말했다.

"내가 네 몸에 기술을 때려 넣었다. 그것을 어떻게 쓰는지는 네게 달렸다."

"네."

"죽지 마라, 루온."

일레이가 활짝 웃었다. 나는 다시 「네」라고 대답했고, 부드러운 바람이 우리를 감쌌다.

일레이와 사라가 먼저 자리를 뜬 뒤, 나는 밤하늘을 올려다봤다. 기억에만 있던 고향…… 그래도 루온으로서 돌아오니ㅡ.

"일단은 과거에 얼추 마무리 지은 셈인가……."

"루온."

갑자기 누군가가 내 이름을 불렀다. 시선을 옮기니 레핀과 유노가 이쪽으로 다가오는 게 보였다.

"응, 왜 그래?"

"앞으로의 일 때문에 이야기 좀 하려고. 마왕 말이야."

소피아에게 빛이 깃들지 않은 것 말인가. 나는 표정을 다잡았다.

"아, 레핀에게도 말할 생각이었어. ……그런데 유노."

"왜~?"

"괜찮아? 안 취했어?"

"아무렇지 않아. 술집을 나오면서 회복했어."

"……그럼 왜 그런 말을 했어?"

"아니…… 우물쭈물하잖아~."

천사가 진심으로 별로라는 표정을 지었다. 어휴…….

"……사라가 그런 쪽으로 조언해줬어."

"오, 뭐래? 뭐래?"

"내가 소피아의 지위에 뒤지지 않는 무공을 세우면 인정받을 수 있대."

"오오, 그렇구나! 루온, 열심히 이름을 떨치자!"

"……이해한 것 같으니 본론으로 들어가도 될까? 레핀, 하려던 말은—."

"응, 실은 마을 근처에서 아크나가 기다리고 있어."

아크나— 노움의 왕이?

"레드라스와 싸운 뒤에 의뢰했었잖아."

"아, 그랬지. 땅속을 조사했구나."

"응. 다시 만났을 때, 오르디아 씨에게 빛이 깃들었다고 하니까 아크나가 신령 가르크 님께 보고했어."

"신령에게……?"

"대륙 붕괴 위기 상황이잖아. 아크나는 사정을 아는 가르크 님께 말해야 한다고 하더라고."

……응, 나도 고민 끝에 같은 일을 했으니 이에 관해서는 불만이 없었다.

"지금 바로 만나도 될까?"

"응, 상관없어."

"알았어. 장소는?"

레핀이 마을에서 조금 떨어진 숲속을 알려줬다. 남들에게 들키지 않도록 기척을 숨기는 마법을 쓰고 숲 앞까지 가니—.

"왔나."

아크나가 있었다. 나는 그에게 손을 들어 인사했다.

"오랜만……은 아니구나."

"그렇군. 마족 격파, 매우 수고했다. 땅속을 조사했다만, 레드라스처럼 의지가 들어온 흔적은 없었다."

"땅속에 들를 필요는 없어?"

"그래. 그리고 숲속에서 가르크 님이 기다리신다."

……자, 무슨 일이 일어날까.

나는 그들과 함께 숲속으로 들어갔다. 수풀을 헤치며 나아가니 낯익은 모습이 보였다.

숲속에 신령 가르크가 있었다. 크기는 예전과 같지만, 몸이 반투명했다. 마법으로 만든 분신이었다.

『오랜만이군, 루온 공.』

"응, 그러게. ……상황은 얼마나 파악했어?"

『빛을 품은 자가 나뉜 것까지.』

나는 고개를 끄덕이고 가르크 앞에 앉았다. 아크나가 옆에 서고 유노가 내 오른쪽 어깨에 올라왔다. 레핀은 긴장해서 굳었다. 옛날에 숲에 숨어든 적이 있어서 그런가.

"……처음 뵙겠습니다, 가르크 님."

『음, 몰래 내 숲에 숨어든 것은 탓하지 않을 테니 안심하거라.』

아, 들켰다. 레핀이 몸을 움찔하고 헛기침했다.

"그럼 시작하죠."

『이렇게 모였으니 편하게 말해도 괜찮다. 우리는 마왕을 무찌르기 위해 모인 동지니까.』

신령이 동지? 어깨에 힘이 들어가는데?

『루온 공, 왜 분산되었지?』

"원인은, 솔직히 모르겠어. ……레핀, 어때? 빛이 소피아를 통과했을 때, 뭔가 짐작 가는 게 있어 보이던데."

"응, 맞아. ……어쩌면 우리는 큰 착각을 했는지도 몰라."

"착각?"

그렇게 되묻자 레핀이 심각한 표정으로 대답했다.

"루온의 말에 의하면 주인공이 여럿이고 다섯 명마다 이야기가 있어."

"응. 이야기라는 말이 나와서 말인데 소설을 상상하겠지만, 엄밀하게는 달라. 이 세계의 것으로는 표현하기 어려워서……. 아무튼 주인공마다 이야기가 있다고 생각해줘."

"알았어. 그리고 무엇을 착각했느냐면 인간의 마력이 질적으로 바뀌는 것을 알면서, 현자의 핏줄이면 빛이 잘 깃들 것이라 생각한 거야."

……아, 그래. 그렇구나.

"사람의 마력은 성장하며 조금씩 바뀌고, 마족이 보유한 현자의 빛에도 차이가 있어. ……그게 어느 정도인지는 모르지만, 이번에는 그 차이 때문에 소피아에게 깃들지 않고 오르디아 씨에게 깃들었어."

몸 상태 때문에 마법을 제대로 쓰지 못하는 일이 흔한 것이 마력이다. 현자의 힘이 모두 성질이 같고, 우리 계획대로 쉽게 깃든다고 추측하는 것은 난센스였다.

"현자의 힘과 상성이 좋고 안 좋고는 마족을 무찌르고 직접 확인하지 않으면 몰라. 이 점은 대처할 방법이 없어."

"……알겠어. 여하튼 현자의 힘은 소피아와 오르디아에게

깃들었어. 우리의 계획대로 되지는 않았지만, 마왕을 무찌르지 못 하는 사태에 빠지지는 않았으니까 막다른 길은 아니야. 그건 다행이네."

『허나 이대로는 대륙이 붕괴한다.』

가르크의 말에 나는 무겁게 고개를 끄덕였다.

"본론이 그거야."

『대륙 붕괴 이야기를 하기 전에 한 가지 확인하겠다. 현재 두 사람에게 현자의 빛이 깃들었다만, 마왕을 무찌르는 게 가능한가?』

"가능해. 하지만 마법―『라스트 어비스』를 쓰는 줄거리에서는 마왕이 강해져. 마법이 발동해 대지에서 마력을 끌어낼 때, 일부를 몸에 채워서 그런데⋯⋯."

"그거 말이야, 마법 자체를 막으면 괜찮지 않을까?"

그때 유노가 지적했다. 나는 어깨를 으쓱했다.

"글쎄⋯⋯. 일단 강해진다는 전제로 말해볼게. 이 경우에는 현자의 핏줄 외에는 공격이 통하지 않는 방어 마법『엘더즈 로스트』가 유지되니까 소피아와 오르디아 외에는 마왕을 무찌를 수 없어. 게다가 아주 강해져."

"너무 어렵네⋯⋯."

레핀이 중얼거렸다. 아크나와 가르크도 심각한 표정을 지었다.

"이렇게 됐을 때의 계획은 일단 생각해놨어."

내 말에 모두 나를 주목했다.

"아까 현자의 핏줄의 공격만 통한다고 했잖아. 소피아와 오르디아의 힘을 빌리면 마왕을 무찌를 수 있다는 거야.”

『둘을 단련시키는 거군.』

“그뿐만이 아니야. ……내가 생각한 건 마왕을 그야말로 한 방에 무찌를 정도로 강력한 무기를 만드는 거야.”

『무기?』

“그래.”

마왕을 무찌르려면 현자의 핏줄이라는 중요한 요소가 필요하지만, 그 대신 마왕을 멸한 전설의 검 같은 것은 존재하지 않는다. 일단 어느 나라에 퇴마의 힘을 지닌 보검이나 과거에 마인을 무찌른 검 같은 게 게임에 있었지만, 주인공들이 드는 일은 없었다.

마왕을 무찌르려면 핏줄 외의 조건은 필요하지 않으니 무기를 개발해서 사용하게 할 수 있었다. 무엇보다도 현실이 된 지금은 그만한 힘을 지닌 무기를 다루려면 그에 걸맞은 기량이 필요하니 강해져야 했다.

“한 방은 어디까지나 상상이고, 어렵다 쳐도…… 일단 강하면 강할수록 좋아.”

나는 머리를 긁적이며 그들에게 설명했다.

“수행 시절에 무기를 만들며 시행착오를 겪어보니…… 마왕을 무찌를 무기를 만들 수 있겠다는 결론에 이르렀어. 하지만 어디까지나 이론상의 이야기야. 마왕을 무찌를 힘…… 즉, 그만한 마력을 무기가 가지고 있어야 해. 그걸 버틸 수 있는 소재가 필요하다는 거야.”

게임상에는 어떤 소재로도 최강의 무기를 만들 수 있었지만, 현실에서는 소재에 따라 담을 수 있는 마력에 한계가 있었다.

　『소재, 라…….』

　"응. 막대한 마력을 담을 수 있는 소재가 있으면 달성할 수 있어."

　다만, 갖고 있는 소재로 어떻게든 해야 했다. ……그러자 가르크가 『알겠다』고 대답했다. 짐작 가는 게 있는 모양이었다. 그러나 그것을 언급하지 않고 갑자기 말을 바꿨다.

　『대륙 붕괴 마법에 대한 계획은 있는가?』

　"나 혼자서는 막을 수 없어."

　『그렇군. 내게 계획이 있다.』

　"정말이야? 뭔데?"

　『말하기 전에 하나만 확인하지. 아크나.』

　"응."

　『땅속은 어느 정도 조사했지?』

　"결과는 서류로 정리했는데……."

　『그런가. 그럼 그걸 읽고 검증해보지. 루온 공, 대륙 붕괴를 막을 계획은 내게 맡겨라. 어떻게 할지 계획이 명확해지면 다시 설명하겠다.』

　믿음직한 말이었다. ……솔직히 나 혼자서는 어려웠던지라 무척 고마웠다.

　『단, 루온 공에게 몇 가지 부탁이 있다.』

"부탁?"

『이 계획, 나 혼자서는 어렵다.』

가르크가 운을 떼고 말했다.

『마왕은 심복인 5대 마족의 힘으로 마법을 구축한다. 마족에게 맞서려면 우리도 그에 상응하는 존재와 손을 잡아야 한다.』

"—그럼 답은 하나뿐이네."

유노가 활짝 웃었다. 나도 이해했다.

"즉…… 다른 신령에게 협조를 받아야 한다고?"

『음. 허나 신령끼리 공식적으로 만나면 마왕이 그 무거운 엉덩이를 들겠지. 은밀하게 진행해야 한다.』

"쉽게 협조해줄까?"

유노의 지당한 의문에 가르크가 눈을 가늘게 떴다.

『말해보지 않으면 모른다. 만약 비협조적으로 나오면…… 강제적인 방법을 써야 한다.』

"강제적이라니, 설마……."

『루온 공의 힘으로 굴복시키면 된다.』

아, 그렇게 나오다니…….

"응, 루온. 활약할 수 있겠어."

"……나는 벌써부터 골치가 아파오는데? 하지만 그래야 한다면 어쩔 수 없지."

『부탁한다…….』

"대화로 끝나길 진심으로 바라. 또, 마왕의 마법 대책을 세우는 데 더 필요한 건 없어?"

『다른 신령의 협조만 얻으면 괜찮다. 마왕 쪽에게 들킬 것 같은 바보 같은 짓은 하지 않겠다. 나를 믿어라.』

"혹시 문제가 생기면 바로 연락해줘."

『좋다. 그대에게 내 분신을 주지.』

그 순간, 가르크의 눈앞에 퐁 하는 소리가 나고 무언가가 나타났다.

손바닥만 한 강아지였다.

"응? ……이게 뭐야?"

『내 분신이다. 전투 능력은 없지만, 나와 언제고 대화할 수 있다.』

"와아, 귀여워!"

유노가 솔직하게 말했다. 강아지가 다가오기에 손바닥에 올려봤다. 가르크가 작아진 느낌이었다. 동그란 눈이 제법 애교가 있었다. ……정말 귀여웠다.

『평소에는 계약한 정령처럼 그대의 몸속에 있을 테니 방해되지 않을 거다.』

"알았어. 고마워."

감사를 표하자 작은 가르크가 사라졌다. 나는 가르크에게 물었다.

"마법은 일단 가르크에게 부탁하기로 하고…… 마왕을 무찌를 방법은 내 계획으로 가도 되겠어?"

『음. 마력을 주입해야 하니 강력한 것이 좋겠군.』

……어떤 수법인지 알았다. 내가 침묵하니 가르크가 말을

이었다.

『그대가 신령을 이끌 수 있게 되면 우리의 힘을 무기에 담도
록 하지. 현자의 후예의 힘에 정령과 우리 신령의 힘이 합쳐지
면 마왕에 대적할 최고의 수가 된다.』

신령의 힘을……. 그것은 대륙 최강의 검이 될 것이 분명했다.

『신령과 정령의 힘은 어느 정도 친화성이 있다. 그들의 힘을
한데 모으기는 어렵겠지만, 불가능하지 않다.』

"응, 마왕에 대적할 비장의 카드가 되겠어. ……그런데 그걸
버틸 소재가 있을까?"

『후보는 있다.』

그게 뭐냐고 물으려던 순간, 가르크가 대답했다.

『서쪽 끝에…… 큰 나무가 있는 걸 아는가?』

"응, 물론. 성수(聖樹) 콜로나레시온이잖아?"

대륙 가장 서쪽 끝에서 바다를 건너면 작은 섬이 있다. 그곳
은 마력이 흘러넘치고, 그 영향을 받아 성수라 불리는 나무가
있다. 게임에서 이름은 나오지만, 직접 등장한 적은 없었다.

마족과 악마도 그 신성한 힘 때문에 다가가지 못한다는 설
정이 있었다. 그런 장소— 가장 신성한 곳에 있는 성수다.

『그 성수를 지키는 정령이 있는데, 성수에서 이름을 따와 콜
로나라고 한다. 그는 성수의 힘으로 소재를 만들 수 있다.』

"소재를……?"

『성수는 땅속에 있는 광석과 금속도 흡수한다. 그렇게 성장
한 커다란 나무의 힘을 끌어내 다양한 특성을 가진 융합물질

을 만든다. 우리 신령이나 정령의 마력과 끈끈하게 이어지는 소재를 쓰면 더 강력한 물건이 될 거다.』

"……가면 바로 도와줄까?"

『모른다. 하지만 힘으로 굴복시킬 필요는 없을 거다. 무엇보다―.』

가르크가 의미심장한 미소를 지었다.

『힘으로 대처할 수 없어서 오히려 성가실지도 모르겠군.』

"어떻게 하면 돼?"

『우선 직접 만나보는 수밖에 없다.』

"알았어. 음, 그럼 앞으로의 방침은―."

"일단 소피아의 목적인 정령 계약으로 정하자."

레핀이 제안했다.

"마왕과의 결전은 아직 멀었어. 소피아가 그 역할을 맡을지는 모르지만, 싸워서 이길 힘을 가져야 한다고 생각하고 있을 거야."

"그렇겠지."

"그럼 무기를 다루는 힘을 가지기 위해 남쪽에 있는 운디네의 거처로 향하자."

지금은 그게 최선인가.

"처음 예정대로네. ……다만, 그 전에 갈 곳이 있어. 소피아와 말해보고 일단은 거기로 가자."

『운디네에게 간다면 진로는 남쪽이군. 수왕(水王) 아즈아가 있다.』

"응. 혹시 설득할 거면 가능한 한 서둘러줘."

『그러지.』

"그거 말고 정할 거 있나?"

『지금은 됐다.』

"그럼 이야기는 이걸로 끝이군. ⋯⋯가르크, 부탁해."

『알겠다.』

작전 회의가 끝났다. 신령의 협조를 상시 받을 수 있게 됐다. 솔직히 든든했다.

다음 날, 나는 침대에서 일어나 장비를 갖추고 거실로 나갔다. 이미 기다리고 있던 소피아가 나를 보고 인사했다.

"안녕하세요, 루온 님."

"응, 문제없어?"

"네."

옆을 봤다. 테이블에 아침이 차려져 있고 부모님이 앉아 계셨다.

나와 소피아는 의자에 앉아 식사를 시작했다. 모두 말이 없었다. 기묘하지만⋯⋯ 신기하게도 나쁘지는 않았다.

식사 후, 정리를 마치고 다시 행랑을 꾸렸다. 나는 방으로 돌아가 안을 둘러보고 한숨을 내쉬었다.

"⋯⋯아마도."

이제 이곳으로 돌아올 일은 없다. ⋯⋯그런 기분이 들었다.

원래 루온은 이 방을 싫어했다. 그래도 더는 이곳으로 돌아오지 않는다는 생각을 하니, 아주 조금 쓸쓸했다.

"……가자."

나는 방을 나왔다. 소피아와 유노가 벌써 현관에서 기다리고 있었다.

소피아가 말없이 고개를 끄덕이고 유노와 함께 밖으로 나갔다. 남겨진 나는…… 부모님을 봤다.

눈과 눈이 마주쳤다. 결국, 두 분은 내게 혼 한 번 내지 않고 그저 받아줬다.

감사를 드리려고 하자 어머니가 고개를 저었다. 너는 우리의 아이이니 감사는 필요 없다는 것 같았다.

그리고 언제든 다시 돌아오라고 그 눈이 그렇게 말했다.

아까 든 예감 때문에 심경이 복잡해졌다. 그리고 동시에 감사했다. 그래서 나는—

"……다녀오겠습니다."

"잘 다녀오렴."

"열심히 하고 와라."

어머니와 아버지의 말과 함께 집을 뒤로했다. 기분 좋은 햇볕이 내리쬐었다. 나는 소피아를 바라보며 입을 열었다.

"다시 떠나보자."

"네, 힘차게 가보죠."

"다음 목적지에 맛있는 게 있을까?"

유노의 말에 「글쎄」라고 대답하며 큰길로 나갔다.

마을은 평소의 모습으로 돌아왔다. 사람들이 가끔 말을 걸었다. 전부 「힘내라」라는 응원이었다. 드문드문 「소피아 눈에서 눈물 나게 하면 가만 안 둔다」는 협박도 들렸다. 수행하는 동안, 마을 사람들 마음에 쏙 들었나 보다.

우리는 마을 남쪽으로 향했다. 출구에서 네 사람이 기다리고 있었다.

"루온 공, 마물 토벌을 포함해…… 도와줘서 정말로 고맙다."

제일 먼저 발자드가 입을 열었다. 그의 말에 나는 고개를 가로저었다.

"우리의 목적은 대륙을 구하는 겁니다. 돕는 게 당연하죠."

"무공을 빼앗은 꼴이 돼서 미안하군."

"신경 쓰지 마세요. 우리는 괜찮으니까요. ……저기, 발자드 씨는 문제없습니까?"

"내가 공을 세운 게 돼서 귀찮은 일을 떠맡을까 봐 걱정하나 보군. 걱정할 필요 없어. 오히려 움직이기 쉬워졌고, 좋은 영향이 클 거다."

발자드가 웃으며 말했다. 문제없나 보다.

"앞으로 더욱 더 마족, 마물과 엮이게 될 거다. ……당연히 리엘 공도 도와줘야겠어."

"마족과 싸우는 사람들이니까 또 어디선가 만나겠지."

리엘이 말했다. 마물 토벌과 베르나와 싸우면서 그의 마물 덕을 톡톡히 봤다.

"응, 그래. 다시 만나면 잘 부탁해."

"물론이야. ……그리고 루온 씨, 이거."

그가 종이를 건넸다.

"앞으로 일어날 일…… 내가 지금까지 싸우며 보고 알게 된 것을 정리한 거야. 여행하며 참고해줘."

시간을 반복하면서 얻은 정보인가. 이건 도움이 되겠다.

"고마워, 리엘."

감사를 표하고 리엘의 옆에 있는 커티를 봤다.

"커티는 발자드 씨를 따라간다며?"

"응, 기대 받는 것 같으니까 할 수 있는 만큼 열심히 할 거야."

말하는 모습이 가벼워 보였다. 더반 일은 완전히 떨쳐낸 모양이군.

"루온, 너는 앞으로도 사서 고생하겠지. ……뭐, 죽지 않을 정도로만 힘내."

"싱겁긴……. 알았어."

"소피아 씨도, 힘내."

"감사합니다. 커티 씨도 건강하세요."

두 사람이 미소 짓는 사이, 나는 마지막으로 오르디아를 봤다.

"잘 부탁해, 오르디아."

"나야말로. 두 사람이 있다니 든든해."

나와 소피아는 그와 함께 여행하게 되었다. 이유는 목적지가 같기 때문이었다.

"그럼 출발하지."

발자드의 말에 리엘과 커티가 마을 밖에 세워둔 마차로 걸어갔다.

"루온 씨, 그럼 이만."

"또 봐."

리엘은 손을 흔들었고 커티는 윙크했다. 발자드가 인사하고 마차에 올랐다. 곧 그들은 떠났다.

"······자, 우리도 가자."

우리도 걸음을 뗐다. 뒤에서 「힘내라—!」는 목소리가 들렸다. 일레이였다.

돌아보니 그녀와 사라가 손을 흔들고 있었다.

"죽으면 가만 안 둔다!"

"소피아 씨, 언제 또 같이 차 마시자!"

사라의 말에 소피아와 유노가 손을 마주 흔들었고 나는 말없이 손을 들어 대답을 대신했다.

그렇게 고향을 떠났다. 다음 목적지는—.

"오르디아, 어제도 이야기했지만, 타우레저 왕국의 아자크 백작이 있는 곳이 목적지지?"

"응, 거기가 맞아."

오르디아가 수긍했다. 레드라스전 후, 그가 마족과 엮였다고 말한 인물은 역시 아자크였다. 오르디아가 베르나와 싸운 뒤 그곳으로 가기로 정한 것 같아서 동참하기로 했다. 소피아도 내 의견에 동의해서 진로를 결정했다.

"백작은 피스일리아 왕국의 마물 토벌에 지원부대로 참여했어. 전사 더반은 마족의 힘을 이용해 배신했지만, 장본인은 토벌에 공헌했지."

"다른 목적이 있다는 겁니까?"

소피아가 의문을 내비쳤다. 그렇게 생각하는 게 타당하군.

"토벌하는 동안 백작에게 수상한 점은 보이지 않았어. ······더반을 도우려는 기색도 없었고."

"그것도 포함해서 검증할 필요가 있겠어."

오르디아가 앞을 가리키며 말했다.

"일단 현지에 가서 조사하자."

"그래, 그러자."

나는 그의 말에 동의한 후 그에게 중요한 것을 물었다.

"오르디아, 빛이 깃든 거 말인데······."

리엘에게 그때 일어났던 일을 전하자 「오르디아 씨에게 맡기자」고 해서 어떻게 할 건지 오르디아에게 맡기기로 했다. 그리고 그와 함께 여행하며 이쪽의 사정을 말할지 어떡할지는 우리에게 달렸다.

"전투가 끝나고 바빠서 말할 기회가 없었지."

"응, 리엘 씨에게 빛에 대해 들어놔서 그리 놀라지는 않았지만······ 내게 들어왔으니 앞으로 어떡해야 할지 생각해봤어."

"결론은 내렸어?"

"원래 마왕과 싸울 작정이었으니까. 싸우는 것 외의 선택지는 없지만, 마왕을 무찌른다면 어떻게 강해져야 할지······."

오르디아는 오르디아대로 고민 중이었다. 나도 그에 대해 생각해야 했다.

그의 뜻대로 자유롭게 해줄까, 동료로 초대할까. ─그러면

선뜻 동의할 것이다. 우리도 그러면 믿을 수 있고, 전력으로도 충분했다.

하지만…… 그 결론은 백작과 싸운 뒤에 내려도 되겠지. 그렇게 결정하고 길을 걸었다.

우리는 피스일리아 왕국 국경을 넘어 타우레저 왕국에 입국했다. 아자크 백작의 영지는 나라 북쪽에 있었다. 국경을 건너고 며칠 뒤, 별다른 일 없이 그의 영지에 도착했다.

마을 이름은 에카리. 규모는 조금 큰 역참 마을 정도였다. 아자크의 영지는 농촌 지대로 큰 도시가 없다. 다만 백작의 성 근처에 있는 이 마을은 크다고 해도 될 법했다.

게임에서는 이곳에서 비극적인 이벤트가 일어난다. 피해자는 마물 토벌로 알게 된 신관전사 리리샤. 사역마로 관찰하면서 왔는데 그동안 이벤트가 일어나지 않았으니 타이밍을 잘 맞췄다.

이벤트는 메인 시나리오가 아니라 일종의 서브 이벤트였다. 아자크 백작은 마왕의 습격을 계기로 자기 영지에 무거운 세금을 매기며 압정을 펼치기 시작한다. 그에 거스르면 처단한다는 방까지 붙자 이에 위기를 느낀 리리샤가 단독으로 백작의 성에 간다.

혼자 가지 말라고 지적하는 게 당연했다. 나도 게임을 할 때 그렇게 생각했다. 결과는…… 주인공들이 무참히 살해된 그녀를 목격하게 된다.

처음에 필리를 주인공으로 게임을 플레이했을 때, 이 이벤트를 보고 뒷맛이 나빠서 죽을 것 같았다. 막을 수 있지 않을까 머리를 쥐어짰지만, 결국, 어찌할 수 없는 슬픈 사실만이 기다리던 것이 기억났다.

그래서 그녀를 구하기 위해 이 마을에 왔다. 지금은 아침— 날이 좋았지만, 무거운 세금 때문인지 사람들의 표정이 몹시 어두웠다.

불평불만을 털어놓는 사람이 있어도 이상하지 않건만, 처단하겠다는 방 때문에 모두 입을 다물었다.

이런 상황에 신관전사인 리리샤는 홀로 울분을 토했을 것이다. ……마물 토벌 때, 그녀의 심정이 어땠을까. 그리고 아자크는 대체 무슨 목적으로 토벌에 참가했을까. ……수많은 의문 속에서 나는 입을 열었다.

"우선은, 그래……. 마물 토벌 때 만난 신관전사 리리샤 씨와 안면이 있으니까 그 사람을 만나자."

"찬성."

유노가 동의했다. 소피아와 오르디아도 승낙하고 거리를 걸었다.

토벌 당시, 아자크와 리리샤는 함께 싸웠다. 게임에서는 백작이 그녀를 경계했다고 나왔다. 마족이 처리하라고 지시한 듯했는데…… 내가 개입하지 않으면 토벌 때 실행할 생각이었나?

게임 시나리오와 같은 흐름으로 간다면 리리샤는 마물 토벌을 거치고 이 이벤트에서 참혹히 살해당한다. 그리고 아자크는 리리샤의 힘에 관심을 보이고 그녀를 죽여서 그 몸에 남은 마력으로 자신을 강화하려고 했다.

아자크가 마족에게 원한 것은 힘이었다. 인간의 반항이 성가시다고 인식한 마족들은 침략을 반복하며 때때로 힘과 보수를 먹이 삼아 인간을 교묘한 말로 회유했다. 아자크도 그렇게 넘어간 사람 중 하나였다.

하지만 내가 왔다. 리리샤를 반드시 구하고 말겠다. 그렇게 다시 결심하고 교회에 발을 들였다.

그때, 수녀가 우리를 불러 세웠다.

"기도하러 오셨습니까?"

"아, 아니요. 이곳에 리리샤 씨가 계시나요?"

그렇게 물어보자 수녀가 교회를 봤다.

갑자기 큰 소리가 났다. 제일 먼저 여자 목소리가 들렸다.

"—아무튼 저는—."

"안 돼! 네가 마을을 떠나면—."

"하지만 저 횡포를 내버려 둘 수는—!"

여자와 남자가 대화 중이었다. 남자의 목소리는 조금 나이 들고 묵직했다. 신부인 것 같았다. 그리고 여자는 리리샤가 분명했다. 말싸움 중인 듯했다. 리리샤는 감정에 휩쓸렸는지 꽤 공격적이었다.

밖으로 큰 소리가 들려서 그런지 수녀가 쓴웃음 지었다.

"죄송합니다. 정신없네요."

"……이 마을에 붙은 방 때문입니까?"

내 말에 수녀가 무겁게 고개를 끄덕였다.

"네. 이해해주시리라 생각합니다. 분쟁에 휘말리고 싶지 않다면 어서 마을을 떠나세요."

그때—.

"저는 그냥 내버려 둘 수 없습니다!"

한층 커진 목소리에 수녀가 놀랐다. 이어서 교회 문이 벌컥 열렸다.

안에서 뛰쳐나온 한 사람— 리리샤였다.

그녀는 빠른 걸음으로 교회를 벗어나려고 했다. 신부가 이름을 불렀지만, 멈추지 않았다.

그때 리리샤가 우리를 알아차리고 눈을 크게 떴다.

"……너는."

"안녕하세요. 토벌 이후로 처음이네요."

내가 인사하자 리리샤가 오르디아와 소피아를 봤다.

"……동료분들?"

"네. 소문을 듣고 왔습니다. ……소동이 일어났다면 돕겠습니다."

그 말에 리리샤가 바로 반응했다. 내 실력 일부를 봐서 아는 그녀는 기회를 놓치지 않았다.

"네가 이곳에 온 것은 그야말로 하늘의 계시야."

실제로는 게임 시나리오를 알기 때문이지만.

"혹시…… 도와줄 수 있어?"

"우선 어떤 내용인지 들어봐야겠습니다."

내 말에 리리샤가 「당연하지」라고 대답했다.

"그럼 말하지. 이 마을에서 일어나고 있는 일을."

우리는 교회 옆에 있는 건물 안으로 들어갔다. 수도자들이 묵는 곳 같았다. 객실처럼 작은 방에 들어간 우리는 6인용 테이블에 앉았다.

리리샤가 나무 쟁반에 찻잔을 들고 왔다. 그녀가 차를 나눠주고 앉자 나는 동료들을 소개했다. 그 후 어느 정도 일단락되자 소피아가 물었다.

"그럼 경위부터 설명해주시겠습니까?"

리리샤가 「물론」이라고 대답하고 이야기하기 시작했다.

내용은 게임과 똑같았다. 설명하는 분연한 상황에 리리샤의 말이 점점 거세졌다.

"……과연, 사정은 알겠습니다."

마을 상황을 듣고 다시 소피아가 입을 열었다.

"하나만 여쭙겠습니다. 리리샤 씨는, 피스일리아 왕국의 마물 토벌에 참여했을 때, 어떻게 생각하셨습니까?"

"입장 상, 백작이 원군으로 간다고 표명하면 나도 가지 않을 수가 없어. 혹시 수상한 움직임을 보이면 봐주지 않고……. 그렇게 결심했는데, 결국 꼬리는 잡지 못했어."

리리샤의 경계심도 아자크가 허점을 드러내지 않은 원인일 수 있겠군.

"백작이 마물 토벌에 참가한 의도는 아십니까?"

"그걸 모르겠어. 원군 자체는 정식 절차를 밟았고 수상한 점이 없어. 자기 영지에는 그런 짓을 하면서 마물 토벌에 관해서만 사람이 바뀐 것 같아."

음, 수상하다. 역시 이유가 있어서 원군으로 온 것으로 생각해야겠다.

"그래서 무엇을 도와주길 바랍니까? 예상은 가지만요."

내 물음에 리리샤의 표정이 무거워졌다.

"……아자크 백작 타도를 도와줘."

"통치를 잘못하기는 하지만, 상대는 백작입니다. 괜찮겠습니까?"

"나라의 처벌…… 처형당할지도 몰라. 하지만 지금 같은 상황이 이어지면 이 마을은 비참한 결말을 맞이할 거야."

아자크가 마족과 손을 잡은 게 분명하니 그것을 증거로 쓰면 리리샤의 안전은 확보할 수 있을 것이다.

"만약 시작한다면, 언제?"

"……낮에는 나를 경계하는지 만나려고도 하지 않아. 심야에 가자."

"알겠습니다. ……일단 확인해볼게, 소피아는 어떡할래?"

"같이 가겠습니다."

"오르디아는?"

"물론, 루온 씨를 따르겠어."

그럼— 나는 리리샤에게 말했다.

"우리는 당신의 방침을 따르겠습니다. 협력하죠."

"고마워."

리리샤가 감사를 표했다.

"오늘, 백작이 경비병을 저택에서 물릴 거야. 열흘에 한 번 병사를 교대하는 명목으로 성 밖으로 내보내. 오늘 밤에는 경비병이 거의 없어."

"그런 상태를 일부러 자기 손으로 만드는 건가요?"

소피아가 의아해하는 게 당연했다. 리리샤가 설명했다.

"나는 마족을 만나기 위해 사람을 물리는 게 아닐까 해. 이 일을 건드리면 얼버무리고, 최악의 경우로 처벌을 받은 사람도 있어서 언급이 금기시되고 있지만…… 간계를 꾸미는 건 확실해."

리리샤의 의견이 맞겠지.

"아무튼, 오늘 밤…… 갑자기 미안하지만, 부탁해."

그녀의 말에 우리는 고개를 끄덕였다. ―드디어 이벤트가 시작됐다.

제17장 백작의 비장의 수

 이윽고 밤이 찾아오고, 밤이 더 깊어지기 전에 행동을 개시했다. 우리는 리리샤와 함께 백작의 성으로 향했다.

 도중에 생각했다. 이번 전투의 가장 큰 문제는 그녀가 아자크 백작의 성의 상황을 전혀 모른다는 것.

 게임에서는 리리샤를 쫓아간 주인공들도 성에 들어간다. 완전히 던전이 된 성은 구조가 복잡해서 게임에 존재하는 모든 던전 중 세 손가락에 들 정도로 까다로웠다.

 그러나 리리샤가 갔을 때는 그러지 않았을 것이다. 왜냐하면 게임에서는 성 중앙에 있는 알현실 문에 결계가 쳐져서 주인공들이 우회해 가야 했다. 그러나 아자크 백작의 목적이 리리샤라면 바로 알현실에 들어갈 가능성도 있을 법했다.

 다만, 우리가 동행하면 어떻게 될지 알 수 없었다. ……그리고 게임에 리리샤가 어떻게 죽었는지 나오지 않아서 백작이 어떻게 맞설지도 불확실했다. 알현실에 함정을 설치했을 것이라 추측하고는 있는데…….

 함정도 어떤 함정인지 몰랐다. 예를 들어 마비 같은 스테이터스 이상이면 나는 괜찮다. 마법으로 구속할 경우에는 아자크의 마력량에 따라 성공률과 마법 지속율이 결정된다. 이미 머릿속에 백작의 능력이 들어있고, 내가 더 강하니까 통하지 않는다. 만약 동료들이 스테이터스 이상에 걸려도 내가 있으니까 회복할 수 있다. ……그래도 역시 대책은 세워둘까.

"잠깐만 기다려주세요."

나는 리리샤를 불러 세웠다.

"조금이라도 준비해야 합니다."

"준비?"

"네. 저는 소환마법으로 도구를 보관하는 상자를 불러올 수 있어요. ……마비나 수면 계열 마법 함정이 있을 수 있으니까 도구를 가져가야 하지 않을까요?"

나는 수납함을 소환해 필요한 도구를 꺼냈다. 파란 사슬이 달린 팔찌였다.

"여기요."

"고마워, 잘 쓸게."

리리샤에 이어 소피아와 오르디아에게도 건넸다. 그때, 유노가 입을 열었다.

"내 거는?"

"애초에 몸에 찰 수도 없잖아. ……내 주머니에 있으면 괜찮아."

"이런 거 계속 착용하고 있으면 안 돼?"

게임에서는 괜찮지만, 현실은 달랐다.

"팔찌 자체에 마력이 담겨 있거든. 예를 들어 온갖 특수한 공격을 막는 도구는 장착한 본인의 마력을 저해하고 말아."

나는 수행 시절에 이런저런 방식으로 검토해봐서 괜찮지만,

다른 사람의 마력을 해석하기는 어려우니 모두 똑같은 효과를 내는 건 무리다. 기껏해야 「어느 정도 상태 이상 공격을 튕겨내는」 정도의 물건만 장비할 수 있었다. 괜히 효과가 강력하면 마력을 잘 다루지 못하거나 자칫 잘못하면 반발을 일으켜 사용자에게 반동이 오는 일도 생길 수 있었다.

"이건 괜찮나?"

오르디아가 팔찌를 차며 물었다.

"적어도 마력을 저해하지는 않을 거야. ……다만, 예상하지 못한 폐해가 있을지도 모르니까 그때는 빼도 돼. 자, 리리샤 씨, 다시 가죠."

"응."

우리는 다시 성으로 나아갔다. 마을을 나오자 긴박한 분위기가 감돌았다.

도중에 마물과 싸울지도 모른다고 생각했으나 생각과 달리 만나지 않고 백작의 성에 도착했다.

문 앞에 서서 성을 응시했다. 달빛을 받으며 서 있는 하얀 성은 사람이 없어서 그런지 기분 나쁜 인상을 줬다. 참고로 외관은 요새처럼 중후한 타입이 아니라 디자인적으로 보기 좋았다.

리리샤가 문으로 다가갔다. 가볍게 손으로 밀자 쉽게 열렸다. 잠그지 않았다. 부주의한 것도 정도가 있지. ……함정인가?

어쩌면 아자크가 마을에 간첩을 심어놓고 리리샤를 감시했을지도 모른다고 추측하며 주의를 기울였다.

"이렇게 순순히 불러들이는 걸 보니까. 역시 함정을 경계해 야겠군."

"그러게요. 주의하죠."

소피아가 검을 뽑았다. 오르디아가 이어서 검을 뽑았고 리리 샤도 창을 쥔 손에 힘을 줬다. 천천히 문을 지나자— 변화가 생겼다. 갑자기 주변에서 기척이…… 역시 마물인가?!

"리리샤 씨가 올 줄 알았나?"

유노가 주머니 속에서 말했다.

"숨길 생각이 없나 본데?"

"들켜도 문제없다고 생각하고 있군."

리리샤가 몹시 불쾌한 표정을 지었다.

"이렇게까지 해놓고도 우리를 끝장내고 얼버무리면 끝……. 마물이 나타났다고 마을 사람들에게 말해봤자 증거가 없다며 오히려 체포할 게 뻔해."

"뭐, 그렇죠."

나는 마법으로 지팡이를 만들며 동의했다.

"보아하니 지원군은 없군. 그럼 내가 처리할게."

"부탁해."

리리샤가 대답한 직후 성 입구로 가는 돌길에 여러 개의 마 법진이 생겼다.

조금 후에 빛이 나며 마물들이 나타났다. 호위병 같은 모습 에 창을 든 해골— 평범한 스켈레톤과 다른 상위종 『하이 스 켈레톤』이었다.

베르나전을 경험한 소피아와 오르디아라면 문제없다. 하지만 리리샤는 어떨까.

리리샤가 제일 먼저 공격했다. 낮은 자세로 돌격하며, 우리를 공격하려는 스켈레톤의 기선을 제압하고 창을 옆으로 휘둘렀다.

하급 범용기 『롱 슬래시』다. 그녀의 공격이 쏟아지고 창에 닿은 하이 스켈레톤이 모두 날아갔다.

하급 기술이지만 위력은 충분했다. 한 방에 죽지는 않았지만, 제법 피해를 받았다.

"간다."

오르디아가 움직였다. 적의 창을 가볍게 쳐내고 반격에 나섰다.

눈 깜빡할 시간에 그가 스켈레톤의 머리를 날려버렸다. 갑옷을 입었고 몸을 이룬 뼈의 강도가 제법 높았지만, 쉽게 두 동강 냈다.

소피아도 비슷했다. 스켈레톤이 접근해 창을 휘두르기 전에 품으로 파고들어 공격했다.

기술이 아닌 평범한 공격. 그러나 위력은 충분했다. 키잉 경쾌한 소리와 함께 갑옷째로 베었다.

베르나전과 비교해도 강해졌어……. 그렇게 마음속으로 감탄하는 사이, 스켈레톤이 더 생겨났다.

나는 지팡이로 바닥을 내리쳐 반응력 강화 등의 『윙 필드』를 펼쳤다. 영향을 받은 동료들이 아까보다 빠른 속도로 스켈레톤을 무찔렀다.

리리샤가 날카로운 찌르기로 스켈레톤을 꿰뚫자 소피아가 『에어리얼 소드』로 박살냈다. 뒤따르던 스켈레톤들이 마법의 여파에 멈칫했다.

거기에 오르디아가 달려들어 달빛을 받아 반짝이는 두 자루의 검을 힘차게 휘둘렀다. 꼼짝도 못 하고 파괴된 스켈레톤들의 뼈와 갑옷이 후두둑 떨어졌다.

세 사람의 공격에 스켈레톤이 점점 줄어갔다. 이 마물은 평범한 병사로 대처하기 어려운 정도가 아니라, 때에 따라서는 아군이 희생되기도 하는데…… 소피아와 오르디아는 물론 리리샤도 문제없는 듯했다.

전투가 시작된 지 약 5분― 마법진은 더 이상 생기지 않았고 시야에서 마물이 사라졌다.

"충분히 대처할 수 있군."

오르디아가 가볍게 검을 휘두르며 말했다.

"성 안에서 이것보다 센 마물이 나올지가 문제네."

"아무튼 가는 수밖에 없네요."

"응, 맞아."

소피아의 말에 리리샤가 대답하고 앞서 걸었다.

현관에 도착하자 문이 멋대로 열렸다. 역시 부르고 있어. 안쪽에 불을 좀 밝히긴 했지만, 왠지 어두워서 들어가기 망설여졌다. 압도되지는 않았지만, 동료들이 안쪽 상황을 살폈다.

마물은 없었다. 앞에 큰 문이 보이는데…… 그 문도 열려 있었다. 미로처럼 실내를 돌아다닐 일은 없겠다.

"가자."

리리샤가 결심하듯이 중얼거리고 안으로 들어갔다. 따라서 들어가니 공기가 차갑게 느껴졌다. 기온이 낮지 않은데 장기 같은 마력이 감돌아서 그런가, 추위가 몸을 파고드는 것 같은 느낌이 들었다. 그 느낌에 긴장을 유지하며 천천히 큰 문으로 다가갔다.

그때, 주변 바닥에 마법진이 생기고 마물이 나타났다. 우리 는 자연스럽게 등을 맞대고 요격 태세에 들어갔다.

하이 스켈레톤과 검은 레서 데몬이 나타났다. 수가 많지만, 충분히 대처할 수 있다고 직감하고 제일 먼저 소피아가 공격 했다.

사정없는 공격이 가까이 있던 악마에게 직격했다. 마력을 많이 실은 공격이 아주 가볍게 몸에 박히자 마물이 우오오—비명을 질렀다.

이어진 그녀의 공격이 악마의 머리를 날려 소멸시켰다. 스켈 레톤 두 마리가 한꺼번에 덤볐지만, 소피아는 매우 냉정했다.

검에 바람을 두르고 스켈레톤의 공격을 옆으로 피하며 반격 했다. 마도기 『질풍검』— 예상보다 위력이 셌다. 공격당한 한 마리가 날아가 다른 적과 부딪혔다!

날아가는 기세가 가라앉지 않고 리리샤를 공격하려던 검은 악마와 스켈레톤이 부딪혔다. 악마도 충격에 날아가자 주변에 있던 마물들이 굳어버렸다.

거기에 리리샤가 공격을 퍼부었다. 창을 종횡무진 휘둘러 허점이 생긴 마물을 정확하게 공격했다.

소피아와 오르디아처럼 한 방에 처리하지는 못했지만……소피아가 지원에 나섰다. 겁먹은 마물들을 추가로 공격해 숫자를 줄였다.

나는 다시 『윙 필드』를 펼치고 『홀리 샷』으로 지원했다. 리리샤를 옆에서 공격하려던 스켈레톤과 뒤에서 힘을 보존하던 악마에게 빛의 탄을 맞췄다. 덕분에 소피아와 리리샤가 억지로 밀어붙이는 데 성공했고, 단시간에 마물을 절멸시켰다.

오르디아는 측면에 있던 마물들을 요격했다. 사정거리에 들어온 마물은 예외 없이 베어 죽였다.

그의 공격력이 소피아보다 위일지도 모르겠다. ……아니, 마족의 힘을 지닌 오르디아와 호각을 이루는 소피아가 대단한 건가?

얼마 지나지 않아 실내에 있던 마물들이 전멸했다. 연계도 잘 되고, 세 사람으로 충분하고도 남을 정도였다. 백작과 대치해도 문제없겠다.

"함정, 이긴 한데 마물을 푼 것뿐이잖아."

오르디아가 앞에 있는 통로를 보며 중얼거렸다.

"마족과 손을 잡은 것은 확실해……. 가자. 저 문을 지나 쭉 가면 알현실이야. 그곳에 백작이 있을 거야."

리리샤가 선두에 나섰다. 나를 포함한 세 사람은 뒤를 따라 문을 지났다. 이렇게 쉽게 백작이 있는 곳까지 왔으니 반드시 함정이 있을 것이다. 긴장해야 했다.

얼마 지나지 않아 가장 안쪽에 도착했다. 불을 밝힌 넓은 방 안쪽에 왕이 앉는 것을 본뜬 호화로운 옥좌가 있었다.

그리고 그 중앙에 우리가 찾던 인물이 맞이하듯이 서 있었다.

"어서 오게, 리리샤…… 그리고 여행자여. 루온 공과는 두 번째로군."

아자크가 예를 갖춰 인사했다. 기묘할 정도로 하얀 피부가 이 기분 나쁜 알현실과 이상하리만치 잘 어울렸다.

"오늘 밤, 자네들이 이곳을 방문한 것은…… 리리샤의 의뢰인가?"

"알고 있던 모양이군."

리리샤가 적의를 드러내며 아자크에게 창끝을 겨누었다.

"네 폭정을 멈추겠다. ……마물이 있는 걸 보니 마족과 손을 잡았군?"

"그래. 마물에게 죽으면 좋았을 텐데, 역시 그렇게 쉽게는 안 풀렸군."

"그러게 말이야……."

잠깐의 침묵이 흘렀다. 아자크는 우리가 말하는 것을 기다리는지 그저 서 있을 뿐이었다.

"왜, 인간을 배신했지?"

"이유 말인가? 자세히 말할 생각은 없지만…… 그래, 모처럼 여기까지 왔으니 지옥으로 가는 선물로 조금 가르쳐주지. 내가 배신한 데는 두 가지 이유가 있다."

아자크가 입꼬리를 비틀며 웃었다.

"하나는 강대한 군사력을 가진 마왕에게 심복했다. 먼 옛날, 이 대륙에 전란이 불어닥친 시대도 있었지만…… 이렇게 압도적으로 가지고 논 존재는 없었다. 발크스 왕국의 붕괴 등, 아주 훌륭했어."

소피아가 움찔했다. 검을 쥔 손에 힘이 들어간 게 보였다.

"그리고 마족이 내게 접근했다. ……전부터 힘을 가지고 싶었던 나는 기꺼이 그들에게 협조하기로 했지."

"힘……. 그것이 배신의 이유입니까?"

소피아가 살짝 노기를 띠며 묻자 아자크가 깊이 고개를 끄덕였다.

"부와 명성, 인간의 욕망은 다양하지만, 나는 순수한 힘에 흥미가 있었다. 하지만 나도 나이를 먹고 인간의 기술로는 한계가 있었다. ……그때 마족이 다가왔다. 천명이라고 생각했어."

"그 끝에 기다리고 있는 것은 숙청이다. 마족은 인간을 장기말로밖에 생각하지 않아."

오르디아의 말에 아자크가 웃었다.

"음, 지당한 의견이군. 하지만 나는 두 번째 이유로 적어도 그들이 내게 위해를 가하지는 않을 거라고 판단했다."

무슨 소리지? 아자크가 이어서 말했다.

"그들은 내게 어떤 연구를 맡겼다. 나는 그 내용에 반해 배신하기로 마음먹었다."

백작의 말에 나는 더반의 말이 생각났다.

"······더반도 연관됐었나?"

"연관된 것은 사실이지."

아자크가 대답하고 리리샤를 힐끗 봤다.

"이해했나?"

"······그래. 네가 어쩔 도리가 없는 인간이라는 걸 알게 돼서 다행이야."

"자네 입에서 그런 말이 나올 줄이야······. 자, 대화는 여기 까지 하지. 결말을 내야 하지 않겠나."

"그래."

리리샤가 분노를 드러내며 백작에게 한 걸음 다가갔다.

"너를 심판한다."

"할 수 있다면—."

아자크가 여유로운 미소를 지었다. ······이제부터 상대가 어 떻게 나올지 주의해야 했다.

게임에서는 함정 없이 전투만 있었다. 제일 중요한 아자크 의 능력은— HP를 흡수하는 기술을 자주 써서 귀찮지만, 보 스치고는 능력이 떨어져서 레벨만 충분하면 어렵지 않았다. 지금의 동료들이라면 무찌를 수 있었다.

아예 치고받고 싸우면 편하겠지만······ 리리샤를 사로잡으려 고 하니까 분명히 함정이 있을 터였다. 함정이 무엇이냐가 문 제였다.

백작은 미소를 거두지 않고 리리샤를 살폈다. 동료들이 전 원 전투태세에 들어갔다. 바닥에 함정이라도 생기면 즉각 마

법으로 대처하고, 상태 이상 계열 공격은 미리 아이템을 나눠
줬으니 괜찮을…… 터였다.

다음 순간, 마력— 그것이 무엇을 의미하는지 이해했을 때,
리리샤의 작은 신음이 들렸다.

"으……."

갑자기 무릎이 꺾였다. 이어서 오르디아도 작게 신음을 흘
렸다.

소피아도 반응을 보이자 아자크가 큰소리로 웃었다.

"하하하하핫! 어리석구나!"

만화나 애니메이션에 등장하는 적처럼 웃었다.

"너희 같은 쥐새끼들을 대처할 준비는 당연히 해놓았지. 지
옥 같은 고통을 주고 죽여주마!"

완벽한 승리 선언— 그때, 내가 질문했다.

"그거 알아?"

"무엇을?"

"나한테는 그 함정이 먹히지 않았다는 거?"

갑자기 아자크의 얼굴이 경악으로 물들었다. 그러나 그것은
함정이 통하지 않았다는 사실을 걱정하는 게 아니라 순전히
놀랐기 때문이었다.

"호오, 내성이 있나?"

"내성?"

"이 마법은 한 번 걸리면 내성이 생기거든. 즉, 너는 과거에
이 마법에 당한 적이 있는 게로군? 내 힘을 웃돌지는 않은 것

같으니."

……능력 의존 함정이다. 게임에 마법 사용자의 레벨이나 능력 이하의 적에게 큰 피해를 주는 마법이 있었다. 아자크가 쓴 마법은 레벨이나 마력과 관련이 있을 것이다.

즉, 다른 동료들은 아자크보다 마력이나 레벨이 낮아서 마법에 당하고 말았다. 반면, 터무니없는 능력을 갖춘 내게는 통하지 않았다. 하지만 남의 눈에는 내가 강해 보이지 않으니 내성이 있다고 생각했으리라. 이번에는 아자크에게 맞춰서 그런 척해야겠다.

"……루온 님."

옆에 있는 소피아가 웅크린 상태로 내 이름을 불렀다. 오르디아와 리리샤도 나를 봤다. ……원래는 마법에 당하지 않게 대처했어야 했다. 그러지 못한 내게 조금 화가 났다.

동시에 의문이 생겼다. 이런 마법은 사용자가 계속 마법을 써야 움직이지 못하게 막을 수 있었다. 그러나 아자크는 계속 마법을 쓰는 모습을 보이지 않았다. 게다가 게임 주인공들이 성을 방문했을 때는 이 마법을 쓰지 않았다. 그렇다는 것은—.

"……이런 마법에 당한 적이 있긴 하지만, 그때와 방식이 달라. 도구를 썼군?"

"호오?"

"이 방에 설치한 도구를 통해서 마법을 유지하는 건가?"

아자크가 경계하는 눈빛을 보냈다. 정곡인가 보다.

게임에서 리리샤 때는 마법을 썼지만, 재료가 부족해 한 번

밖에 못 쓴 건가— 방에 이런 마법을 설치하는 것 자체에 돈이 많이 들고, 돈이 든 만큼 규모가 큰 함정이었다. 내가 없으면 위험했다.

"흥, 내성 있는 놈이 섞여 있었을 줄이야. ……됐다. 내가 직접 죽여주마."

아자크가 나섰다. ……전투 모드로군. 자, 어떻게 할까.

우선 HP 흡수 기술은 직접공격이 아니라 당하지 않으면 문제없으니까 무시해도 됐다.

당장 죽이는 것도 한 방법이지만, 문제가 하나 있었다. 그는 인간이면서 마족의 힘을 가졌다. ……이런 경우, 힘을 준 마족이 아자크를 감시하고 있을 가능성이 컸다.

본 실력을 보이는 건 위험했다. ……그럼 답은 하나. 가르크에게 받은 리본의 제약 내로 아자크를 쓰러뜨린다.

"보아라! 다시 태어난 나를!"

아자크가 게임에서와 같은 대사를 하자 몸이 변했다. 주름진 얼굴이 더 창백해지고 몸에서 마력을 분출했다.

아자크의 외모는 그리 바뀌지 않았지만, 이가 흡혈귀처럼 날카롭게 바뀌었다. 흡혈귀처럼 생긴 백작이라니, 안성맞춤이었다.

변한 직후, 아자크가 돌격해 내 목덜미에 달려들어 물어뜯으려 했다.

나는 곧장 마법으로 검을 만들어 맞섰다. 아자크는 오른팔을 들어 어느새 길게 뻗은 예리한 손톱으로 검을 막았다.

나는 손톱을 얼른 튕겨내고 검을 옆으로 휘둘렀지만, 검이 닿기 직전에 아자크가 피해 허공을 갈랐다.

"그렇게 나와야지."

아자크가 즐겁게 중얼거렸다. ……움직이지 못하는 동료들에게는 눈길도 주지 않았다. 아니, 이건 연기고 뒤쪽이 목적인가?

내가 가장 주의해야 하는 것은 뒤에 있는 세 사람이 노려지는 것. 단순한 공격은 막으면 되지만, 아자크는 마법을 쓴다. 그 점은 경계해야 했다.

"자, 어떻게 요리해줄까?"

아자크가 나를 평가하듯이 관찰했다. 동료들을 지키기 위해 상대가 어떤 식으로 나올지 추측해야 했다.

나는 마법을 준비했다. 아자크가 내게 손톱을 휘둘렀다.

나는 다시 검으로 막았다. 꽤 힘이 세서 동료들이 당하면 버티지 못할 것이다.

"혼자서 어디까지 할 수 있을까?"

아자크가 도발적으로 물었다. 나는 말없이 반격했고, 적은 바로 뒤로 물러나 양손을 좌우로 크게 펼쳤다.

마법이 온다! 아자크가 쓰는 공격 마법은 두 종류다. 둘 다 어둠 속성으로 하나는 칠흑 덩어리를 쏘는 하급 마법 『블랙 팡』, 다른 하나는 중급 마법 『다크 레인』. 암흑을 비처럼 내리게 하는 그 마법은 전체공격이고 위력도 제법이었다.

과연 어느 쪽— 그렇게 생각하자마자 머리 위에서 마력이 느껴졌다. 『다크 레인』이다!

"빛이여, 보호하라!"

어둠에 맞서듯이 마법을 썼다. 빛 속성 방어마법 『세인트 가드』로 빛을 제외한 전 속성 공격을 막을 수 있고 특히 어둠 속성에 강했다.

보통은 적과 아군 사이에 벽을 만들어서 막지만, 이번에는 응용했다. 『다크 레인』에 맞춰 위를 막아 쏟아지는 어둠을 막았다.

결과는— 방어마법으로 비를 막았다! 어둠이 굉음을 내며 빛과 부딪혀 진동까지 느껴졌다.

"호오! 움직이지 못하는 자를 노린 마법인 줄 예상했나 보군."

아자크가 놀라워했다. 나는 그를 날카롭게 노려봤다.

"네 비겁한 방식은 뻔해."

"흠, 그럼 다른 방법을 생각해볼까."

······이런 상황에서 어떻게 해야 하나. 동료들도 있으니 단기 대결로 끌고 가야 하나?

변신한 아자크는 내구력도 올랐을 터······ 그러나 급소를 노리면 게임과 달리 한 방에 쓰러뜨릴 가능성이 있었다.

아자크는 어디까지나 마족의 힘을 얻은 인간이므로 심장을 찌르면 결판이 날 것이다.

그럼— 머릿속으로 작전을 짜는데 아자크가 내게 접근했다. 이번에는 손에 마력을 모았다. 이러면 마법을 쓸 리는 없겠군. ······손톱으로 근거리전을 펼칠 셈인가? 아니면 접근해서 검을 휘두를 공간을 없앤다거나? 나는 마법을 쓰기 위해 마력을 모았다. 마력 모으기는 순식간에 끝났고 나는 바로 마법을 썼다.

무영창까지는 아니지만, 거의 시간을 들이지 않고 사용할 수 있는 마법도 있었다. 바로 지금 선택한 『워터 어택』이라는 물 속성 하급 마법이다. 모든 공격마법 중 가장 위력이 약한데, 재미있는 사용법이 있었다.

수압으로 적을 날려버리는 이 마법은 상대의 몸을 크게 젖히는 효과가 있다. 게임에서는 공격당하면 반드시 허점이 생긴다. 콤보 등으로 이어지는 마법으로 꽤 유용해서 상대를 속일 때 많이 쓰였다.

현실이 된 지금은 어려웠다. 게임에서는 아군이 쓰는 마법의 영향을 받지 않아서 가능했지만, 현실에서는 아군이 휘말렸다.

하지만 단독으로 싸울 때는 유용했다. 수압 때문에 아자크가 강제로 후퇴했다.

"큭…… 건방진 짓을!"

물줄기에 지지 않고 달려드는 백작을 공격했다. 물줄기를 따라 쓴 공격이 둔해진 아자크를 옷 위로 베었다. 피는 나오지 않았지만, 고통은 느끼는지 백작이 울부짖었다.

"너!"

다시 접근했다. 한 번 더 마법을…… 그러나 게임의 AI와 달리 같은 전법을 쓰면 대응할 것이다. 그렇다면─ 나는 우선 아자크의 공격을 보고 피했다.

추가 공격이 바로 들어왔다. 나는 바로 쓸 수 있는 마법을 썼다. 이번에는 그냥 바람으로…… 아자크는 바람으로 반격당할 줄 알았는지 후퇴를 선택하고 거리를 뒀다.

"안타깝게도 나를 죽이기에는 부족해."

그 말을 들으며 나는 가까이 있는 리리샤를 봤다. 고개를 드는 것도 힘든지 그녀는 고개를 숙이고 침묵했다.

"동료가 신경 쓰이나?"

아자크가 물었다. 고개를 돌려서 보니 그가 웃었다.

"함정은 계속되고 있다. 아무것도 못 해."

……이 마법의 구조를 말하지는 않을 것 같고, 역시 나 혼자서 쓰러뜨려야 하나.

아자크가 마법을 쓰려고 했다. 그 마법이 『다크 레인』일 가능성이 있는 한, 동료들을 지키기 위해 『세인트 가드』를 발동할 수 있는 상태를 유지해야 했다. 하지만 만약 『다크 레인』을 쓰지 않는다면, 방법은 있었다.

나는 백작보다 먼저 공격했다. 아자크가 마력을 모으며 웃음을 거두었다.

"와라!"

아자크가 외쳤다. 검과 손톱이 부딪히자 새된 소리를 내며 튕겨 나갔지만, 공격은 멈추지 않았다.

나는 더 집요하게 공격했다. 아자크의 눈에는 자포자기로 비쳤을 것이다.

두 번째, 세 번째 튕겨냈을 때, 아자크가 손톱으로 반격했다. 나는 몸을 돌려 피하려 했다.

적이 노리기 좋은 상황이었다.

"끝이다!"

허점이 생긴 나를 향해 아자크가 선언하자 그의 앞에 칠흑이 생겨났다. 『블랙 팡』이 틀림없었다. 하급 마법이지만, 아자크처럼 마족이 되면 상당한 위력을 가진다.

나는 어둠을 주시하며 발동 직전인 『세인트 가드』 마법을— 해제했다.

"무슨—?!"

아자크도 무슨 일이 일어났는지 모르는 눈치였다. 일부러 주문을 외운 마법을 해제하다니 왜— 상대의 시선이 나를 꿰뚫었다. 나는 칠흑이 모두 없어질 때까지 『워터 어택』을 날렸다.

물줄기와 어둠이 부딪혔다. 물이 어둠을 밀어내기에는 부족했지만, 움직임을 제한하는 데 성공했다. 나는 검날에 마력을 싣고 어둠 덩어리를 베었다.

물의 마법과 검— 이 조합으로 어둠 마법을 상쇄한다!

"호오, 과연. 하지만—."

아자크가 말을 맺지 못하게, 나는 그에게 『워터 어택』을 맞췄다.

"으……!"

아자크가 신음했다. 물줄기의 방해로 움직임이 둔해졌고 마법을 쓰는 자세를 잡지 못했다. 지금이 절호의 기회라고 판단한 나는 결판을 내기 위해 공격했다.

마력을 모으지 않았으니 아자크는 마법을 쓰지 못한다. 그럼 공격 수단은 양손에 있는 손톱뿐인데……. 적은 공격하는 기척을 느끼고 방어에 들어갔다.

나는 검을 내질렀다. 물줄기 흐름을 타고 급소인 심장을 노렸다.

방어하는 그의 왼팔에 검이 닿았다. 아자크가 팔에 마력 강화를 했는지 검 끝이 팔을 뚫지 못하고 멈췄다.

"이걸로 끝낼 셈이었나? 안 됐군."

아자크가 나를 노려봤다.

물줄기가 끊어졌다. 내 검은 아자크의 팔을 찌른 채, 관통하지는 못했다. 피해는 줬지만, 통각 제어라도 하는지 아까와 다름없는 서늘한 표정을 짓고 있었다.

이대로 교착 상태에 빠지면 다른 팔이 손톱을 뻗겠지. —나는 그보다 빠르게 검날에 마력을 모았다.

"아닛—?!"

하급 마도기 『성광검(聖光劍)』— 검날에 하얀 빛이 모이는 이 기술은 빛 속성이 약점인 아자크에게 몹시 성가신 공격이었다.

그 결과, 마도기 덕분에 팔에 검을 찔러 넣을 수 있었다.

"크악—!"

아자크가 오른팔을 들어 반격하려고 했지만— 이걸로 끝이다!

빛 속성의 힘으로 검이 아자크의 팔을 통과하고 심장을 꿰뚫었다. 들어 올리려고 했던 상대의 오른팔이 움찔 떨리고—

잠시 뒤, 공격하려던 팔이 힘없이 내려갔다.

이 전투의 승리요인은 아자크가 어떤 공격을 할지 예상한 것이다. 함정에 걸린 동료들에게 피해가 가지 않게 대처해서 다행이었다.

이걸로 끝, 이라고 확신하자마자 아자크가 움직였다.

자신을 관통한 검을 뒤로 물러나 억지로 뽑고 단번에 옥좌까지 이동했다. 급소를 찔려 고통스러운 표정을 지었지만, 아직 소멸에 이르지는 않았다.

원래 인간인 아자크가 이렇게까지 버틸 힘이 있는 것은—

그때, 펑! 하고 무언가가 터지는 소리가 났다.

"마법이 끊긴 듯하군."

오르디아가 말했다. 돌아보니 동료들이 자리에 서 있었다.

도구로 마법을 유지하다가 아자크가 부상당하자 그 효과도 끊어진 모양이었다.

그리고 당사자인 백작은…… 우리를 노려보며 멈춰 서 있었다.

시선은 매서웠지만, 불쾌감이 줄었고 여유가 없어 보였다.

"—백작."

리리샤가 다시 창을 겨누며 다가가기 직전—

"지다니 꼴사납군."

낯선 목소리였다. 다음 순간, 아자크의 옆에 갑자기 사람처럼 보이는 누군가가 나타났다.

푸른 망토와 붉은 눈, 중성적인 외모. 기척을 느끼고 어떤 존재인지 알아차렸다. 이 녀석은, 마족이다.

"백작을 감시하는 녀석인가?"

오르디아의 물음에 마족이 웃었다.

"네 말대로다. ……네가 누군지는 알고 있다."

"영광이군."

오르디아가 빈정거리며 대답하자 마족이 시시하다는 표정을 지었다.

"흥, 너 같은 놈을 없애버려야 하는데……. 백작, 잘해주었다. 이 뒤는 내가 맡을 테니 안심하고 사라져라."

게임에서는 없었던 전개다. 주인공들에게 당해도 마족은 등장하지 않았다고!

마족의 말에 아자크가 왼손으로 품을 뒤졌다. 거기에 마족이 반응했고, 나도 마법을 준비했다.

"과연, 심장이 뚫려도 살아있는 것은 보옥의 힘 덕분인가―."

"―천공의 성창!"

빛 속성 중급 마법『홀리 랜스』를 발동했다. 푸른빛이 곧장 아자크를 향해 날아가다가― 갑자기 폭발했다. 눈에 보이지 않지만, 마족이 마력 장벽을 세웠다.

"흠, 지나가는 모험가치고는 힘이 있군. 그래도 고작 인간의 그릇인가……. 백작, 그 힘을 쓰려고 해봤자 끝이다. 얌전히―."

마족이 말하는 도중에 갑자기 아자크가 오른팔을 뻗어― 마족의 가슴을 꿰뚫었다.

"아니……?!"

리리샤가 제일 먼저 놀랐다. 소피아와 오르디아도 갑작스러운 행동에 당황했다. 나도 비슷한 심경이었고…… 당사자인 마족도 눈에 핏발을 세우고 목소리를 쥐어짰다.

"이놈…… 무슨 짓이냐……?!"

"이 힘이 있으면…… 끝나지 않아!"

그 순간, 아자크의 마력이 증폭했다. 그와 동시에 장기가 소용돌이쳤고 마족의 몸이 서서히 붕괴됐다.

"―크아아악?!"

"힘을…… 빼앗고 있어?!"

소피아가 경악했다. 그렇다. 눈앞에서 그와 같은 일이 벌어지고 있었다.

설마 인간이― 설령 마족의 힘을 가졌다고 해도 순수한 마족에게서 힘을 빼앗는 것은 불가능하며 게임에서도 그런 케이스는 없었다. 애초에 배신한 인간은 마족에게 힘을 받는 쪽이라 게임에서는 반항하는 일이 일어나지 않았고, 그런 짓을 하면 마족에게 숙청당한다.

그러나 아자크는 거꾸로 힘을 빼앗았다. 백작은 이런 힘에 반한 것일까?

마족이 마지막 저항이라는 듯이 팔을 뻗었다. 그러나 백작에게 닿지 못하고 이내 힘을 다했다.

"―하하하하핫! 네 힘도 제법이구나!"

아자크가 쓰러진 마족에게 외치자 마력이 더 증폭했다.

어느새 그는 왼손에 무언가를 들고 있었다. 아까 찾던 물건인가?!

『—루온 공.』

그때, 머릿속에 목소리가 울렸다. 신령 가르크였다.

『내게도 백작의 마력이 느껴진다. ……이것은 설마—.』

짐작 가는 게 있냐고 물어보려고 했지만, 상황이 허락하지 않았다.

아자크 주위에 검은 마력이 생겨나 백작을 중심으로 회오리처럼 휘몰아치기 시작했다. 마족과 함께 장벽이 사라지자 우리에게도 충격파가 전해졌다.

"—정령이여, 수호하라!"

당장 마법을 썼다. 간이 마력 장벽이 생겨나 충격파를 막았다.

"이거 후퇴해야 하지 않아?!"

유노가 혼란스러워하며 소리를 질렀다.

"맞아, 일단 물러나야겠어."

리리샤가 동의하고 후퇴하기 시작했다.

"일단 밖으로—"

"리리샤 씨, 먼저 가세요."

그때 내가 끼어들어서 말하자 리리샤만이 아니라 소피아와 오르디아도 고개를 돌려 나를 봤다.

"이대로 내버려 두면 무슨 짓을 저지를지 몰라요. 마족을 집어삼키고 뭔지 모를 힘까지 발동했습니다. 폭주하지 않을 거란 보장도 없고—."

"여기서 네가 막겠다고?!"

리리샤가 외쳤다.

"말도 안 돼! 이 정도 마력을 혼자서 맞서겠다니—."

"직접 싸울 생각은 없어요. 생각이 있으니까…… 소피아, 마을로 돌아가서 만약을 위해 사람들에게 피난준비를 시켜줘."

"알겠습니다만…… 루온 님, 정말로 괜찮습니까?"

소피아가 불안한 표정을 지었다. 내 실력을 일부 알지만, 백작의 변화가 걱정되는 모양이었다.

"괜찮아. 아까도 말했다시피 생각이 있어. ……무리하지 않을게."

"……알겠습니다. 리리샤 씨, 이곳은 루온 님께 맡겨주세요."

리리샤는 반신반의했다.

"알겠어. 마을 사람들에게 전달해서 언제든지 피난할 수 있게 하지."

"네, 부탁합니다. 오르디아도 같이 가줘."

"알겠어. 루온 씨, 무운을 빌어."

오르디아의 말을 끝으로 세 사람은 알현실을 떠났다. 남은 것은 나 하나……. 아니, 품에 유노도 있다.

"유노는 안 가?"

"어차피 실력으로 눌러버릴 거잖아? 안 보면 손해야."

그런 이유로 남기야……? 그때, 아자크에게 변화가 생겼다. 회오리치던 마력이 한데 모여 사람 형태를 갖췄다.

『—크하하하!』

메마른 웃음소리가 울렸다. 인간을 버리고 돌아올 뜻이 없다는 것을 확신했다.

"문제는 아까 그 마족 말고도 감시하는 녀석이 있느냐, 인데……"

『적어도 주변에는 그런 기척이 없다만.』

가르크가 의견을 말했다. 흠, 분신이라 해도 신령의 말이니 믿어도 되겠지?

"근거 있어?"

『성에 들어오기 전에 주변에 마족이 있는지 찾아봤다만, 이상 없었다.』

"그래. ……뭐, 직접 찾아본 게 아니니 확정은 못 해. 도박이나 다름없지만, 백작을 그냥 둘 수도 없으니. 쓰러뜨리자."

그 순간, 아자크가 뛰어올랐다. 날개 돋은 악마로 바뀌어 입을 일그러뜨려 광기를 드러내며 달려들었다.

나는 왼손에 마력을 모아 특기 마법 『뒤랑달』을 발동했다!

"받아라!"

외치며 휘두른 빛의 검이 돌격해오는 아자크에게 닿았다. 상대가 팔로 막았지만— 버티지 못하고 날아갔다.

그러나 백작은 곧바로 태세를 가다듬고 반격에— 그 순간, 마력이 울컥했다.

"뭐지……?"

아직도 변하는 건가? 갑자기 아자크의 몸이 울룩불룩 부풀어 올랐다.

더 큰 웃음소리가 실내를 메웠다. 마족의 힘을 흡수한 것만으로 상황이 이렇게 되다니, 도저히 생각하기 어려운데—.

『……루온 공, 아까 마족이 보옥의 힘이라고 하지 않았나?』

가르크가 갑자기 말을 꺼냈다.

『이 폭주는 마족의 힘을 빼앗은 것만이 아니라 그것과 관련이 있는 듯하다.』

"짐작 가는 게 있어?"

『그래. 어쩌면 이것은—.』

가르크가 말하던 중, 갑자기 검은 충격이 실내를 채우고 퍼졌다!

나는 재빠르게 입구 부근까지 물러나 피했다. 충격파가 서 있던 곳을 지나가며 벽과 천장에 부딪혔다.

건물이 부서지며 폭발이라도 한 것 같은 굉음이 일었다.

입구 주변에 잔해가 쏟아졌다. 벽의 반 이상이 부서졌고 천장도 뚫렸다.

바람이 내가 있는 곳까지 불어왔다.

"무슨 특촬물에 나오는 괴수 같네."

거대화— 알현실 천장에 닿을 정도로 어둠이 팽창했다.

겨우 인간의 형태를 유지하고 있지만, 팔과 다리에 칼이라도 달린 것처럼 수많은 뿔이 돋았다. 얼굴에는 입과 코가 없고 공허한 푸른 눈이 나를 내려다봤다.

"내가 목표인가 봐."

"아까 실컷 당한 걸 복수하려나 보지."

유노가 말한 직후, 백작이 거대한 팔을 내리쳤다. 생김새와 달리 민첩했다. 나는 바로 옆으로 도망쳤다.

바닥에 팔이 거세게 부딪혔다. 건물이 삐걱거렸고 입구 부근 구조물에 파직파직 금이 갔다.

"이래서는 돌아가는 것도 힘들겠네. ……동료들을 보내놓길 잘했어."

백작이 다시 공격하려고 했다. 그에 나는 아예 백작 쪽으로 달려들었다.

왼손에 마력을 모으며 거대한 팔을 피하고, 팔이 바닥에 닿았을 때— 마법을 발동했다!

"천공의 성창!"

마력이 새지 않을 아슬아슬한 수준에서 『홀리 랜스』를 썼다. 목표는 심장 부분, 아자크는 피하지도 못하고 정통으로 맞았다.

어둠에 닿은 순간, 희고 푸른빛이 폭발했다. 충격으로 가슴에 커다란 구멍이 생겼다. 그곳에 아자크가 있다면 이번 공격으로 무찔렀으리라. 그러나…….

어둠이 고동치며 순식간에 구멍을 어둠으로 메꿨다.

"안 통하네. 그럼—."

다음은 머리. 백작의 공격보다 빠르게 푸른 창을 던져 목 위를 날려버렸다!

이건 어떠냐. ……그러나 어둠은 재생했다. 아자크는 다른 곳에 있나?

"루온, 내 의견인데—."

갑자기 유노가 말을 꺼냈다.

"몸 전체의 마력이 균일해. ……백작의 의식이 사라지고 저 몸이 본체가 된 걸지도 몰라."

『음, 나도 동의한다.』

가르크가 유노의 말을 받아서 이었다.

『아자크가 이용한 보옥은 힘이 다 흡수됐는지 그럴싸한 물건은 탐지하지 못했다.』

"그럼 어딘가를 노린다는 방법으로는 쓰러뜨리지 못한다는 건가."

어두운 밤하늘 아래, 아자크가 울부짖었다. 그동안에도 저택은 무너졌고 알현실은 보기에도 무참한 꼴로 바뀌었다.

"급소가 있을 거라 기대하고 마법을 쓰거나…… 장기전을 각오해야겠군. 장기전이 되면 백작이 무슨 짓을 할지 몰라. 단기전이 좋겠는데……."

"루온, 상급 마법을 쓰려고?"

"응. 주위에 다른 마족이 있으면 내 힘을 들킬 위험성이 있지만…… 해야만 해."

이 거구를 없애버릴 정도의 마법이라면— 이내 나는 마력을 모으기 시작했다. 아자크가 반응해 다시 내게 손을 뻗었다.

나는 당연히 옆으로 움직여 피했다. 팔은 바닥에 부딪혔고, 성에 더 많은 금이 갔다.

결국, 한계가 왔는지 바닥이 무너지기 시작했다.

"으앗?!"

피하려고 했지만 그대로 떨어졌다. 알현실 아래가 복도라 일단 문제는 없었는데…… 백작이 나를 향해 뛰어들었다.

머리 위로 양팔을 들어 망치처럼 내리치려고 했다. 나는 적이 승리를 확신했다고 생각했다. 웃는 것처럼 느껴졌기 때문이었다.

"유노, 귀를 막아!"

나는 그렇게 외치고 마력을 해방했다. 다음 순간— 백작의 눈에서 웃음이 사라졌다.

"장엄한 하늘이여, 나의 몸에 깃들어 저자에게 심판과 안녕을— 내리쳐라! 구원(久遠)의 뇌성!"

하얀 섬광이 흐드러지게 피어났다. 그것이 아자크의 팔에 닿자 순식간에 온몸을 감쌌고 거대한 흰 빛기둥으로 바뀌었다.

동시에 어둠을 내쫓는 천둥이 쳤다. 낙뢰로 생긴 어마어마한 소리가 내 몸을 때렸다. 거의 제로 거리에서 공격해서 마법의 여파가 나한테도 영향을 끼쳤다. 하지만 마력 장벽 덕분에 피해는 없었다.

그리고 잇달아 건물에 큰 피해를 줬다. 번개로 융단이 불타오르는 정도가 아니라 아예 불타 사라졌고 모든 벽과 창문이 부서졌다.

번개 속성 최상급 마법 『토르 해머』. 신의 철퇴가 마물을 집어삼키고 번갯불로 태우는 마법이다.

하얀 빛 속에서 아자크가 비명을 질렀다. 내 마법에 약간 저항하긴 했지만, 결국 아무것도 하지 못하고 몸을 늘어뜨렸다.

"……끝났나 봐."

유노가 중얼거렸다. 이윽고 번갯불이 사라졌다. 굳어버린 거구가 다 타버린 재처럼 무너졌다. 재생 능력은 이 마법 앞에서 의미가 없었다.

『―루온 공, 보옥이다.』

가르크가 지적했고, 곧이어 나도 발견했다. 무너지는 몸속에서 달빛을 받아 반짝이는 작은 구체가 바닥에 떨어지자 파직, 소리를 내며 부서졌다.

가까이 가서 관찰하니 색은 칠흑으로, 마력이 다했는지 만져도 아무것도 느껴지지 않았다.

"여기에 힘이 봉해져 있었나?"

『그런 듯하군.』

뭔가 마음에 걸리는 것 같았다.

『아무튼 백작은 쓰러뜨렸다. 이 소동은 해결인가.』

내가 물어보기도 전에 가르크가 먼저 입을 열었다. 나는 질문하지 않고 부서진 보옥을 주우며 대답했다.

"해결했지만…… 꼴이 심각한데."

나와 아자크의 공격 때문에 성이 파괴되어 잔해가 발 둘 곳 없이 흩어져있었다.

"리리샤에게는 시간을 버는 사이 마력이 팽창해서 자폭했다고 설명하자……. 이제 돌아갈까?"

일단 성 입구로 가자. ……그때 문득 발아래로 종이 한 장이 바람에 실려 날아왔다. 주워서 확인하니 마법에 관한 자료로 보였다.

주변을 둘러보니 망가진 문이 눈에 들어왔다. 내 발이 자연스럽게 그쪽으로 끌려갔다.

비틀린 문을 밀어서 안으로 들어가 보니 서재 같았다. 마법이 벽을 관통했는지 책들도 불탔다. ⋯⋯그런 곳에서 책상이 눈에 들어왔다.

"백작이 사용한 건가 봐."

가까이에서 확인하니 책상 위에 책 한 권이 있었다. 살펴 보니 연구일지였다.

"⋯⋯이건."

그중에 전사 더반이 기록되어 있었다.

『전부터 연구하던 힘의 해석이 끝났다. 마족과 그 힘은 상성이 좋고 융합할 수 있다. 다른 곳의 연구 성과를 동포 더반 프로지아에게서 받기로 했다. 토벌 때 양도받을 예정이다. 그가 만족할만한 성과를 올릴지 가만히 지켜보도록 하자.』

"⋯⋯과연, 보옥을 넘겨받는 게 토벌에 참가한 목적이었구나. 그리고 더반은 마물 토벌에서 전력이 될지 마족에게 시험받은 거고."

아자크가 조용히 있던 게 이해가 됐다. 보옥은 언제든지 주고받을 수 있었을 것이다. 리리샤가 경계했더라도 전장에서는 현장을 덮치기 어렵고, 무엇보다 죄를 묻는 게 불가능했다.

일지를 팔락팔락 넘기며 대충 읽어봤다. 다른 이름이 있길 바랐으나 아쉽게도 없었다. 기본적으로 이 성에서는 연구만

했는지 새로운 정보는 없었다.

그리고 「그 힘」에 관해서는 직접적인 표현을 피해서 내가 바라는 정보는 없는 듯했다.

『마족 입장에서 들켜도 문제없을 정도의 정보만 보유했나 보군.』

가르크가 추론했다.

『즉, 백작이 알고 있었는지는 모르겠지만, 좋은 대접을 받지는 못한 모양이다. 그 힘이라는 기록은, 그것이 터무니없는 힘이라고 인식은 했으나 자세히는 가르쳐주지 않았을지도 모른다.』

"그럴지도…… 이번 소동으로 리리샤는 백작에게 반기를 들었지만, 이 연구일지가 있으면 벌을 받지 않을 거야."

일단 이건 리리샤에게 넘기자. 나는 일지를 가지고 서재를 나왔다.

엄청난 꼴이 된 백작의 성을 나오자 발소리가 들렸다. 소리가 그치자 상태를 보러 병사들이 온 모양이었다.

"루온 님!"

물론 동료들도 있었다. 내가 걸어가며 손을 들자 제일 먼저 소피아가 다가왔다.

"루온 님…… 무사하신가요……."

"응, 간신히."

"어떻게 무찔렀어?"

오르디아가 관심을 보이며 물었다. 나는 어깨를 으쓱했다.

"나를 노리기에 도망치는데 마력이 팽창하더니 자폭했어."

"힘을 버티지 못했나."

그와 함께 다가온 리리샤가 말했다. 소피아는 내 주장을 믿지 않는지 나를 물끄러미 쳐다봤다. 나는 반응하지 않고 리리샤에게 책과 부서진 보옥을 내밀었다.

"리리샤 씨, 이거."

"……책?"

"백작의 연구일지와 폭주한 원인인 도구예요. 이게 있으면 이번 반역의 죄를 묻지 않을 겁니다. 더반 이야기도 적혀 있더군요. 배신자끼리 교류한 모양입니다."

"과연, 뿌리 깊은 문제군."

"그 밖에도 수상한 물건이 있었지만, 일단 이것만."

"그래…… 고마워."

감사를 표한 순간, 성 안쪽에서 무언가가 무너지는 소리가 들렸다. 안에 들어가려던 병사가 황급히 물러나는 게 여기서도 보였다.

"당분간 성에는 들어가지 않는 게 좋을지도 모르겠네요."

"그러게. ……루온 씨, 정말 고마워. 네가 없었으면 지금쯤 나는—"

"신경 쓰지 마세요. 마족과 싸우는 사람끼리 당연히 도와야죠."

"그래…… 뭐라도 감사를 표해야 하는데……."

"그렇게까지 하지 않으셔도 괜찮아요. 또 함께 싸우게 되거든 잘 부탁드립니다."

리리샤는 불만인 듯했으나…… 이내 살짝 고개를 끄덕였다.

"알겠어. 그럼 나는 병사들을 지휘해야 해서……."

"네."

그녀가 병사들에게로 달려가는 모습을 보며 나는 숨을 내쉬었다.

무사히 그녀를 구하는 데 성공했다. ……그러나 이번 사건에는 큰 수수께끼가 남았다. 백작이 사용한 힘은 대체 뭐였던 거지?

"루온 씨, 앞으로 어쩔 거야?"

갑자기 오르디아가 물었다. 나는 그를 돌아봤다.

"이것저것 생각하고는 있어. ……오르디아는?"

"내가 마족에게서 얻은 정보는 이걸로 끝이야. 앞으로 어떡할지 생각해봐야지."

그때, 소피아가 눈길을 보냈다. 나는 무슨 말을 하려는 건지 바로 이해했다.

전부터 동료에 대해 많은 생각을 했다. 믿을 수 있고, 소피아의 사정을 말해도 문제없을 인물…….

여러 차례 함께 싸운 그가 어떤 의지를 갖췄는지…… 그리고 빛이 깃든 일…… 거기에 리엘이 몇 번이나 시간을 되풀이하고 얻은 정보로 그가 마왕과 계속 싸워온 것이 판명됐다.

소피아도 생각이 같은 모양이었다. ……그렇다면 답은 하나다.

"……저기, 오르디아."

나는 그에게 말했다.

"제안할게. ……같이, 싸우지 않겠어?"

한순간, 그가 눈을 크게 떴다.

"그건 즉, 동료가 되지 않겠냐고?"

"소피아처럼 빛을 품었잖아. 나는 그런 사람과 동료가 되는 게 좋지 않을까 싶어."

"그렇군……."

"오르디아라면 믿을 수 있고."

"맞아, 맞아. 나도 같은 의견이야."

유노가 동의했다. 소피아도 고개를 끄덕이자 오르디아가 수줍은 미소를 지었다.

"……그렇군. 나는 혼자 싸우는 데 한계를 느꼈어. 루온 씨와 동료가 되면 더할 나위 없지."

"그럼—."

"하지만 나는 알다시피 복잡한 사정이 있어. 마족으로 살아온 죄도—."

"오르디아가 죄를 갚기 위해 검을 든 거 알아."

나는 그의 말을 막았다.

"뭐라고 하는 사람도 있을 거야. ……하지만 지금은 사람들을 위해 싸우고 있어. 나는 그걸로 충분하다고 생각해."

"떳떳하지 못하다는 건 알지만, 오르디아는 그만큼 노력하고 있어. 그걸로 됐잖아?"

유노가 이어서 말했다. 오르디아는 잠시 석연치 않은 듯 복잡한 표정을 보였다.

"……나는 마왕과 마족에 대항해 싸워서 내가 한 짓을 보상할 생각이야. 그래도 괜찮다면……."

"응, 물론."

"잘 부탁드립니다, 오르디아 씨."

미소를 지은 소피아에게 오르디아가 「잘 부탁해」라고 대답했다. —이리하여 우리의 여행에 새로운 동료가 추가됐다.

다음 날부터 리리샤는 눈코 뜰 새 없이 바빴다. 하룻밤 만에 백작이 배신자가 되고 성이 엉망이 됐으니 혼란스러운 게 당연했다.

중요한 성이 많이 부서져서 안으로 들어가는 것도 고생이었다. 성 안에 잠든 연구 자료를 얼른 압수하고 싶을 텐데……. 뭐, 리리샤가 철저하게 조사할 테니 그녀에게 맡기면 문제없겠지.

그래서 우리는 리리샤가 바쁜 사이, 물러나기로 했다. 리리샤가 미안해했지만, 우리는 신경 쓰지 말라며 손을 흔들고 헤어졌다.

"—그래서, 이제부터 어떡할 거야?"

오르디아가 우리를 따라오며 물었다. 어제 쉬기 전에 간단하게 그에게 사정을 설명했다. 소피아의 사정, 그리고 빛이 어떤 의미를 가졌는지…….

현자의 힘이라는 것은 소피아와 오르디아에게 추측에 불과

했다. 그러나 오르디아는 추측이 맞을 것이라 생각하고 우리의 이야기를 순순히 받아들였다.

"……대답하기 전에 하나 확인해도 돼?"

"응."

"몸에 왜 이렇게 힘이 들어갔어?"

"왕녀라서 긴장했나?"

유노가 말했다. 새삼스레 그럴 필요 없다고 생각했지만, 오르디아는 아닌 모양이었다.

"……마왕의 부하로서 현자는 다른 어떤 존재보다 위협적이라고 배웠어. 내가 그 후예인 것도 황송하지만, 무엇보다 왕가의 사람이라니까 자연스럽게 힘이 들어가."

"조만간 익숙해질 거야."

유노가 해맑게 말하자 오르디아가 쓴웃음을 지었다.

"그래. ……그래서 다음 목적지는?"

"우선은 소피아가 정령과 계약하려고."

"운디네죠."

소피아의 말에 나는 「맞아」라고 대답했다.

"계약이 끝나면 남쪽으로 루나레이트까지 갈 거야. 내가 아는 솜씨 좋은 대장장이가 있어."

"거기서 새 무기를 사자는 말씀입니까?"

"거점이 있는 마족을 둘이나 쓰러뜨렸어. 마왕도 대책을 세울 테고, 앞으로 적도 강해질 거야. 지금의 소피아와 오르디아라면 강력한 무기를 들어도 쓸 수 있을 것 같거든."

"나도?"

"동료가 됐잖아. 오르디아도 착실하게 강해져야 해."

"……그런가. 미안한데."

진로는 결정됐다. 이렇게 셋이서 마을을 떠났다.

"앞으로는 조금 느긋하게 여행할 수 있으려나?"

갑자기 유노가 중얼거렸다. 느긋하게……?

"루온 님의 고향에 간 뒤로 바빴으니까요."

소피아가 대답했다. 생각해보니 그러네.

고향에서 마물 토벌 일을 받고 5대 마족과의 전투에 돌입했다. 적을 격파했나 했더니 이번에는 아자크 백작과의 결전이 벌어졌다.

앞으로는 마족과 적극적으로 싸우는 게 아니라 우리가 강해지기 위한 여행이 되리라. 확실히 지금보다는 느긋한 여행이 될지도 모르겠다.

그리고 다른 주인공들은— 일단 5대 마족과 연관되지는 않았다. 이미 시나리오의 흐름은 현자의 힘을 한 사람에게 모으지 못하게 됐으니 집착할 필요 없었다. 하지만 게임대로 5대 마족을 무찌르지 않으면 마왕이 어떻게 움직일지 몰랐다. 또, 5대 마족 이벤트 중에는 피해가 큰 것도 있었다. 처음 계획대로 5대 마족을 확실하게 격파하기 위해 그들과의 전투에는 적극적으로 관여해야 했다.

그리고 더반을 무찌른 것도 별문제 없어 보였다. 만약 예상하지 못한 일이 일어나면…… 임기응변으로 대응하는 수밖에 없나.

또, 내가 아자크와 싸우며 전력을 다한 것에도 마족은 반응하지 않았다. 들키지 않은 모양인데…… 주의할 필요가 있었다.

그리고 마왕이 대륙을 붕괴시키는 『라스트 어비스』의 발동 조건이 갖춰지고 말았다. 신령과 연계해서 대처하기로 했는데…… 그것인즉, 남은 두 신령을 설득해야 한다는 뜻이었다.

일단 가르크가 설득하기로 했는데…… 어떻게 됐을까?

『ㅡ루온 공, 보고할 것이 있다.』

호랑이도 제 말 하면 온다고, 가르크의 목소리가 머릿속에 울렸다. 나는 동료들 앞이라 대답하지 않고 조용히 들었다.

『백작이 소지한 검은 보옥에 대해 내 나름대로 추측해보았다. 성에 들어갔을 때, 조금 위화감을 느꼈는데 그 정체는 검은 보옥이었던 듯하다.』

흠, 성가신 힘이 갖춰져 있었나?

『백작을 무찌른 뒤에 발견한 검은 보옥에는 힘이 남아있지 않았지만…… 위화감에 의지해 조사해봤다. 그 결과ㅡ.』

가르크가 뜸을 들였다.

『나는 그 힘 속에, 신령의 힘이 담겨있었다고 단정했다.』

……어?

생각지도 못한 말에 경악했다. 신령의 힘이라니ㅡ.

『그리고 다른 신령들에게 협조를 부탁하기 위해 권속을 통해 대화 자리를 마련하려고 했다. 페우스는 여전히 움직이려

하지 않았지만, 느낌은 나쁘지 않으니 직접 대화할 수 있을 거다. 문제는 아즈아다.』

설마…… 나는 안 좋은 예감에 휩싸인 채 가르크의 설명을 계속 들었다.

『아즈아는 조금 전부터 모습을 감춘 모양이다. 그 녀석은 원래 심해 동굴이 근거지인데 그곳에도 없었다. 그리고 검은 보옥에는, 신령— 아즈아의 힘이 들어있었다.』

쿵, 심장이 크게 한 번 뛰었다.

『이러한 정보를 근거로 나는 이렇게 판단했다.』

가르크가 내 예상과 똑같은 견해를 말했다.

『신령 아즈아가…… 마왕 편에 섰다.』

〈『현자의 검 4』에서 계속〉

현자의 검 3

초판 1쇄 발행 2018년 3월 10일

지은이_ Junki Hiyama
일러스트_ Yomi Sarachi
옮긴이_ 이은혜

발행인_ 신현호
편집국장_ 김은주
편집진행_ 최은진 · 김기준 · 김승신 · 원현선 · 김솔함 · 권세라
편집디자인_ 양우연
국제업무_ 정아라 · 고금비
관리 · 영업_ 김민원 · 이주형 · 조인희

펴낸곳_ (주)디앤씨미디어
등록_ 2002년 4월 25일 제20-260호
주소_ 서울시 구로구 디지털로 26길 111 JnK디지털타워 503호
전화_ 02-333-2513(대표)
팩시밀리_ 02-333-2514
이메일_ lnovelpiya@naver.com
ㄴ노벨 공식 카페_ http://cafe.naver.com/lnovel11

KENJA NO KEN 3
ⓒ Junki Hiyama 2016
All rights reserved.
Originally published in Japan by Shufunotomo Co., Ltd.
Translation rights arranged with Shufunotomo Co., Ltd.
Korean Translation rights ⓒ 2018 by D&C MEDIA Co., Ltd.

ISBN 979-11-278-4406-6 04830
ISBN 979-11-278-4074-7 (세트)

값 7,000원

*이 책의 한국어판 저작권은 SHUFUNOTOMO와의 독점 계약으로
(주)디앤씨미디어에 있습니다.
저작권법에 의해 한국 내에서 보호를 받는 저작물이므로 무단전재와 복제를 금합니다.

*잘못된 책은 구매처에 문의하십시오.

© Dachima Inaka, Iida Pochi. 2017
KADOKAWA CORPORATION

일반공격이 전체공격에 2회 공격인 엄마는 좋아하세요? 1권

이나카 다치마 지음 | 이이다 포치. 일러스트 | 이승원 옮김

"이제부터 이 엄마와 함께 실컷 모험을 하는 거야.", "맙소사……."
고교생 오오스키 마사토는 그렇게 염원하던 게임세계로 전송되지만,
어찌된 영문인지 그의 어머니이자
아들이라면 껌뻑 죽는 마마코도 따라오는데?!
길드에서는 「아들의 연인이 될지도 모르는 애들이니까」라는 이유로
마사토가 고른 동료들에게 면접을 실시하고,
어두운 동굴에서는 반짝반짝 빛나는데다.
무릎베개로 몬스터를 재우는 걸로 모자라,
전체공격에 2회 공격인 성검으로 무쌍을 찍는 등
아들인 마사토가 질릴 정도로 대활약을 하는데?!
현자인데도 유감스런 미소녀 와이즈,
치유계 여행 상인인 포타를 동료로 맞이한 그들이 구하려는 것은
위기에 처한 세계가 아니라 부모자식간의 정.

제29회 판타지아 대상 〈대상〉 수상작인
신감각 모친 동반 모험 코미디!

©Natsume Akatsuki, Kurone Mishima 2017
KADOKAWA CORPORATION

이 멋진 세계에 축복을! 1~12권

아카츠키 나츠메 지음 | 미시마 쿠로네 일러스트 | 이승원 옮김

게임을 사랑하는 은둔형 외톨이 소년, 사토 카즈마의 인생은
너무하도 허무하게 그 막을 내린…… 줄 알았는데,
정신을 차려보니 눈앞에 여신을 자처하는 미소녀가 있었다.
"이세계에 가지 않을래? 원하는 걸 딱 하나만 가지고 가게 해줄게.",
"그럼 널 가지고 가겠어."
이리하여, 이세계로 넘어간 카즈마의 대모험이 시작……되나 싶었는데,
결국 시작된 것은 의식주 확보를 위한 노동이었다!
카즈마는 그저 평온하게 살고 싶지만,
문제를 연달아 일으키는 여신 때문에 결국 마왕군에게 찍히고 마는데?!

애니메이션 방영 화제작!!

라이트노벨의 새로운 빛! L노벨의 신간은 매월 10일에 발매됩니다. http://cafe.naver.com/lnovel11

©2016 Tsuyoshi Yoshioka
Illustration:Seiji Kikuchi
KADOKAWA CORPORATION

현자의 손자 1~4권

요시오카 츠요시 지음 | 키쿠치 세이지 일러스트 | 최승원 옮김

사고로 죽었을 청년이 갓난아기의 모습으로 이세계에서 환생!
구국의 영웅 「현자」 멀린 월포드에게 거둬진 그는 신이라는 이름을 받는다.
손자로서 멀린의 기술을 흡수해가며 놀라운 힘을 얻게 된 신이었지만,
그가 열다섯 살이 되자 할아버지는 이렇게 말했다.
"상식을 가르치는 걸 깜빡했구만!"
이런 이유로 신은 상식과 친구를 얻기 위해
알스하이드 고등 마법학원에 입학하게 되는데—.

『규격 외』 소년의 파격적인 이세계 판타지 라이프, 여기서 개막!

라이트노벨의 새로운 빛! L노벨의 신간은 매월 10일에 발매됩니다. http://cafe.naver.com/lnovel11

© Aiatsushi 2016
Illustration:Yoshiaki Katsurai
KADOKAWA CORPORATION

백수, 마왕의 모습으로 이세계에 1~3권

아이아츠시 지음 | 카츠라이 요시아키 일러스트 | 김장준 옮김

한창 즐겼던 게임이 서비스 종료를 맞이한 날.
홀로 대보스를 토벌하고 사기급 능력을 입수한 요시키는
낯선 장소에서 눈을 떴다.
마왕으로 착각할 만할 중2병 장비를 걸친
자신의 캐릭터, 카이본의 모습으로!
심지어 갈피를 잡지 못하는 그의 앞에
요시키의 세컨드 캐릭터, 엘프 류에가 나타나고……?!
그녀와 둘이서 생활하는 동안 그는 알게 된다.
자신이 이 세계에서 신화 수준의 영웅으로 전해져 내려온다는 것을—!

마왕의 모습으로 세계를 누비는
유유자적 여행기, 개막!!